ZITA

RAZEND

Van Carry Slee zijn voor deze leeftijd ook verschenen:

Spijt!
Bekroond door de Nederlandse Kinderjury 1997
en Jonge Jury 1998

Afblijven
Bekroond door de Nederlandse Kinderjury 1998
en Jonge Jury 1999

Pijnstillers
Bekroond door de Nederlandse Kinderjury 1999
en Jonge Jury 2000

Kappen!

Carry Slee

Razend

Van Holkema & Warendorf

Dit boek doet mee aan de Jonge Jury 2001

ISBN 90 269 9339 0
© 2000 Uitgeverij Van Holkema & Warendorf,
Unieboek BV, Postbus 97, 3990 DB Houten
www.unieboek.nl

Tekst: Carry Slee
Omslagillustratie: Roelof van der Schans
Vormgeving omslag: Toine Post
Opmaak: ZetSpiegel, Best

1

Sven bekijkt zijn wenkbrauw. Gelukkig is die al iets minder dik dan gisteren. Hij wist wel dat zijn vader kwaad zou worden toen hij hoorde dat hij met zwemmen stopte. Sven herinnert zich nog de ruzies toen hij met scouting ophield. Zijn armen zitten onder de blauwe plekken, maar dat heeft hij er wel voor over. Altijd dat zwemmen, hij had nog amper de tijd om te filmen. Waar had hij nou eigenlijk wel tijd voor? Zwemmen, naar school en dan weer zwemmen. Hij kon niet eens verkering nemen...

Stop, zegt Sven bij zichzelf. Hij heeft nu geen tijd om van Roosmarijn te dromen. Hij moet zijn wiskunde nog doorkijken voor hij naar school gaat. Maar de film in zijn hoofd begint al te draaien.

Een tijdje later schrikt hij op van de voordeur. Zijn ze er nu al? Sven hoort het meteen aan zijn vaders voetstappen in de gang. Het is helemaal mis. Gelukkig komt zijn vader niet de trap op. Hij kan er beter vandoor gaan. Dan maar geen ontbijt, hij koopt wel wat onderweg.

Hij pakt zijn tas en wacht tot zijn ouders in de kamer zijn. De kamerdeur wordt hard dichtgeslagen. Sven denkt dat de kust veilig is, pakt zijn rugtas en sluipt de trap af. Als hij zijn jas van de kapstok wil halen, schrikt hij.

'Lafaard!' Svens vader staat voor hem. 'Ik heb die deur niet voor niks zo hard dichtgeslagen. Ik wist dat je hem wou smeren. Jij durft de kamer niet in, je durft je niet te vertonen, hè? Nou?'

'Ik, eh... ik moet naar school.'

'Jij moest naar trainen!' schreeuwt vader.

'Ik heb toch gezegd dat ik niet meer wil zwemmen,' zegt Sven.

Zijn vader kijkt hem dreigend aan. 'Dus jij denkt door te kunnen gaan met dat jennen? Dat leer ik je wel af.'

'Niet doen, papa!' roept Sven. Maar hij heeft de eerste klap al te pakken.

'Je wilt me toch kwaad zien? Nou, dat kan.'

Sven probeert de klappen te ontwijken, maar dat maakt zijn vader nog kwaaier. Hij grijpt Sven vast en kwakt hem tegen de muur. Sven valt met zijn achterhoofd tegen een muurhaak.

Maar zijn vader is nog niet uitgeraasd. 'Stuk ongeluk dat je bent. Ik breek allebei je benen, dan kun je nooit meer zwemmen.' Svens hoofd doet zo'n pijn dat hij de rest van de klappen niet voelt.

Als zijn vader eindelijk wegloopt, gaat Sven met zijn hand langs zijn achterhoofd. Er zit bloed. Hij gaat de trap op en loopt de badkamer in.

'Laat zien, jongen.' Svens moeder staat achter hem. 'Gelukkig hoeft het niet gehecht.' Ze maakt een punt van de handdoek nat en dept de wond. 'Waarom daag je je vader ook altijd zo uit?'

'Ik wil niet meer zwemmen.' Sven pakt het glas water dat zijn moeder hem voorhoudt en neemt een slok.

'En je broer dan?'

'Voor Lennart is het heel anders, die kickt er zelf ook op en hij heeft talent.'

'Anna!' wordt er geroepen.

Sven kijkt naar zijn moeder. Ze begint met haar ogen te knipperen. Dat doet ze altijd als ze bang wordt.

'Anna!'

'Ga maar gauw naar school.' Zijn moeder gaat snel naar beneden. Sven kijkt in de spiegel. Nog een geluk dat die wond op zijn achterhoofd zit. Hij kamt zijn haar eroverheen. Was hij maar zoals Lennart. Die vindt alles leuk wat zijn vader voorstelt. Het overlevingskamp, de scouting, zwemmen...

Sven is anders. Met een pijnlijk gezicht wrijft hij over zijn hoofd. Hij kan maar beter een paar aspirientjes nemen.

'Nou nou,' zegt Bart als Sven komt aanrijden. 'Als je met zo'n kwaaie kop naar Roosmarijn kijkt, denkt ze dat je haar wilt killen, in plaats van zoenen.'

Sven lacht, maar niet van harte. Waarom duurt het zo lang voordat die aspirientjes werken? Hij probeert wat vrolijker te kijken. Zijn vrienden hoeven niet te merken dat hij barst van de koppijn.

'Echt fit zie je er niet uit,' zegt Bart. 'Je hebt zeker de hele nacht aan Roosmarijn gedacht? Hoe ga je het trouwens aanpakken?'
'Ik ren het schoolplein op en dan begin ik haar heftig te zoenen.'
Sven moet nu toch wel lachen. 'Nee Bart, ik bouw het langzaam op. Vandaag móét ik iets tegen haar zeggen, dat heb ik me voorgenomen.'
'Nou, dat schiet lekker op. Hallo...' fluistert Bart. 'Dan heb je iets gezegd. En morgen moet je twee woorden zeggen. Hallo, Roosmarijn... Waarom vraag je niet gewoon of ze mee naar de bios gaat?'
'Ik doe het op mijn manier,' zegt Sven.
Bart zucht. 'Ik hoor het al. Dan heb ik allang kleinkinderen en loop jij nog steeds achter Roosmarijn aan. Tegen die tijd ben je misschien eindelijk zover dat je drie zinnen tegen haar durft te zeggen.'
Lachend rijden ze het schoolplein op.
'Hé, daar heb je Hakim al,' zegt Bart als ze hun fiets hebben weggezet. 'Wat ben jij vroeg, ben je soms uit je bed gevallen?'
Arnout komt er ook bij staan. 'Hij heet geen Hakim, maar Dieke.'
'Hij heet Lotte.' Hakim wijst naar Arnout. 'En ik ben helemaal gek van paarden,' zegt hij met een hoog stemmetje.
'En ik zit op ballet.' Arnout draait op zijn tenen alsof hij op spitzen loopt.
'Nou ja, wat is dit nu weer?' Bart en Sven schieten in de lach.
'Onze nieuwste versiertruc.' Arnout kijkt Hakim aan. 'Mogen ze het weten?' Als Hakim knikt, begint hij trots te vertellen. 'Wij gaan vanmiddag chatten en dan doen we net of we twee meiden zijn.'
'Oh, vandaar die namen.'
'Ja,' zegt Arnout met een zoet stemmetje. 'Wij zijn Dieke en Lotte en we zoeken twee vriendinnen.'
'En dat gaat lukken,' roept Hakim.
'Als we beethebben en die meiden hebben een paar keer met ons gechat, dan maken we een afspraakje. Slim, hè?' zegt Arnout.
'Reuze slim,' zegt Sven. 'Hoe denk je dat die meiden reageren als ze ineens twee jongens zien staan. Die worden woedend.'
'Niks woedend. Verrast zul je bedoelen. Wie valt er nou niet op twee van die aantrekkelijke boys.'

7

Sven krijgt op slag een inval voor een superplan. Maar dat bespreekt hij straks wel als hij alleen is met Bart. Zo te zien heeft Bart ook zin om een grap met hun vrienden uit te halen.
'Hebben jullie het gehoord?' vraagt Halima.
'Wat? Is de school opgeheven of zo?'
'Nee, onze flitsende wiskundeleraar heeft verkering.'
'Hoe weet je dat?' De jongens kijken haar aan.
'Van Roosmarijn. Die heeft ze gisteren betrapt in het park. Ze zagen er smoorverliefd uit.'
Nu komt Roosmarijn er ook bij staan. 'Ja, ik reed door het park en toen zaten ze samen op een bankje. Hij had een arm om haar heen.'
'Hoe zag ze eruit?' Iedereen is nieuwsgierig.
'Ze heeft lang rood haar. Ze zag er heel gaaf uit, net zo gaaf als Bob zelf.'
'Daar gaan we hem mee pesten,' zegt Bart.
'Bob is toch zo gek op Frankrijk? Wat is rood in het Frans?' vraagt Sven.
Roosmarijn draait zich naar hem om. 'Rouge.'
'Wat?' Van schrik verstaat Sven haar niet.
'Rouge,' herhaalt Roosmarijn.
'Je wordt nu zelf erg rouge,' fluistert Bart.
'Hou op.' Sven voelt dat hij een kop als vuur krijgt.
'Maar je hebt wel iets tegen haar gezegd. Gefeliciteerd,' fluistert Bart. 'Heel dapper van je, Feije.'

'Zo.' Bob kijkt de klas rond. 'Ik mis nog iemand.'
'Ja, we snappen dat jij iemand mist,' zegt Arnout plagerig.
Emma begint te fluiten. 'Na schooltijd mag je weer naar haar toe.'
'Dat moet je kunnen redden,' zegt Bart. 'Gewoon rustig blijven, dan is het zo om.'
'En vooral geen so geven,' roept Halima.
'Nee, dat is het laatste wat je moet doen,' zegt Sven. 'Dan heb je kans dat je flipt.'
'Aha.' Bob wrijft in zijn handen. 'Jullie willen van je so af. Dat kan, maar jullie weten welk prijskaartje daaraan hangt, hè?'
'Oh!' roept iedereen verontwaardigd.

'Ja,' zegt Bob. 'Gisteren heeft 2A er tweehonderd gulden voor moeten neerleggen. Maar ik zal jullie matsen omdat jullie mijn voorbeeldklas zijn. Voor honderdvijftig gulden stel ik het een week uit.'

'Jij durft...' roepen ze.

'Waar denken jullie dat ik anders mijn surfplank van heb betaald?' vraagt Bob. 'Oké, honderd gulden en jullie zijn ervan af.'

'Als ze dat hoort, maakt ze het meteen uit,' waarschuwt Arnout.

'Wie?' vraagt Bob.

'Rouge... jajaja.'

'Rouge cheveux,' zegt Bart.

'Wel apart,' zegt Sven. 'Je hebt een goeie smaak. Maar het is niet netjes om zo heftig op een bankje te zoenen.'

Ineens begint er bij hun leraar iets te dagen. 'Ik weet het al. Jullie hebben het over Marjolein.'

'Marjolein zoent heel fijn,' zegt Bart.

'Maar toen ze in je lip beet, deed het pijn,' rijmt Arnout erachteraan.

'Jongens,' Bob schudt zijn hoofd, 'het spijt me voor jullie, maar jullie vergissen je.'

'Jaja, je was zeker niet in het park. Nee, we hebben je dubbelganger gezien, nou goed?'

'Ik zat wel op het bankje met Marjolein,' geeft Bob toe. 'Maar er is niks romantisch tussen ons.'

'Je had anders wel een arm om haar heen,' zegt Roosmarijn. 'Ik zag het zelf.'

'Mag ik misschien nog een arm om mijn eigen zus heen slaan?' vraagt Bob.

'Wat? Was het je zus?'

'Ja,' lacht Bob. 'Helaas, weer geen roddel voor de schoolkrant. Ik ben niet verliefd.'

Iedereen kijkt Roosmarijn verwijtend aan.

'Roosmarijn heeft weer eens iets bedacht jongens,' zegt Bart. 'We hadden het kunnen weten.'

'Het lijkt me het beste dat we nu aan ons SO gaan.' Bob pakt de blaadjes.

'Ik weet niks meer, hoor,' zegt Bart. 'Ik ben helemaal van slag. We dachten dat je eindelijk iemand had. Maar nee, weer niet.'
'We zitten al steeds in de zorgen dat je niemand kunt krijgen,' zegt Charlotte.
'Dat is ook een groot probleem,' zegt Bob. 'Mijn moeder heeft laatst een contactadvertentie voor me gezet. Er was heel veel belangstelling. Maar toen ze me zagen, gingen ze er snel vandoor. Weten jullie niemand voor me? Ik hou dit eenzame leven niet langer vol...'
Ze moeten allemaal om Bob lachen. Niet één leraar durft zo gek te doen.
'Ik weet iemand voor je,' zegt Bart. 'Ze is heel knap.'
'Echt waar?' vraagt Bob.
'Ja,' zegt Bart. 'Ik wil wel iets voor je regelen, maar dat gaat niet zomaar. Dan geen so natuurlijk.'
'Deal.' Bob bergt de blaadjes op.
'Tof! Tof!' De hele klas begint te klappen.
Terwijl Bob een som op het bord schrijft, kijkt Sven naar Roosmarijn. Hij ziet duidelijk dat ze zich schaamt voor haar vergissing. Nu heeft hij een goeie reden om straks een praatje met haar te maken. Sven denkt na over wat hij zal zeggen en let niet meer op wat er in de klas gebeurt.
'Nog één som,' zegt Bob als iedereen begint te kreunen. En hij schrijft hem op.
'Sven?' vraagt Bob. 'Weet jij het al?'
'Nee.' Sven weet nog steeds niet wat hij tegen Roosmarijn zal zeggen. Hij voelt zich betrapt. 'Ik, eh... Sorry, ik dacht aan iets anders.'
'Oh, dat is spannend. Dan willen wij wel weten waaraan je dacht,' plaagt Bob.
Sven wordt vuurrood. 'Sorry, dat is privé.' Hij is blij dat de bel gaat.
In de gang valt iedereen Roosmarijn aan. 'Hoe kwam je nou aan die onzin? Je hebt ons allemaal voor paal gezet.'
'Ik kon toch ook niet weten dat het zijn zus was.'
'Nee,' zegt Sven. 'Hoe kon zij dat nou weten?'
Sven schrikt er zelf van dat hij voor Roosmarijn opkomt. Het helpt wel. Ze laten haar allemaal met rust.

'Bedankt,' zegt Roosmarijn.

Sven heeft het gevoel of hij droomt. Roosmarijn heeft iets tegen hem gezegd!

'En?' vraagt Bart als hij buitenkomt. 'Is de verkering aan?'

'Ze heeft iets tegen me gezegd.' Sven straalt.

'Ik dacht dat jij iets tegen haar zou zeggen,' lacht Bart.

Sven kijkt zijn vriend aan. Dat is waar ook. Wat is hij toch een oen. Waarom heeft hij niks teruggezegd? Wat zal Roosmarijn daarvan denken. Nou, de eerste misser heeft hij al gemaakt.

2

Sven leest zijn scenario over. Het is wel erg somber geworden! Als hij dit verfilmt, zit iedereen te huilen. Zijn verhalen waren meestal juist grappig. Het zal wel door zijn stemming komen. Emiel uit zijn verhaal houdt het thuis niet meer uit en loopt weg. Eigenlijk heeft hij over zichzelf geschreven. Is dat zo? Sven schrikt. Wil hij dat zelf soms ook? Hij zet die gedachte meteen van zich af. Zo erg is het niet met hem. Zijn vader is kwaad op hem omdat hij met zwemmen is gestopt. Nou en? Zijn vader is altijd kwaad op hem als Sven niet doet wat hij wil. Om een beetje ruzie hoef je toch niet weg te lopen?

Opnieuw leest hij het over. Hij krijgt een naar gevoel in zijn maag. Wat een rotscenario. Hup, in de prullenbak ermee! Als hij zich iedere ochtend zo van streek gaat maken, kan hij beter weer gaan zwemmen. Hij mag wel oppassen met dat zware gedoe. Bart noemde hem van de week al een keer een zombie. Het was zogenaamd een grapje, maar Sven weet best dat Bart het meende.

De laatste weken is hij niet erg gezellig. Hij moet zichzelf een beetje oppeppen anders gaan zijn vrienden echt van hem balen. Hij kan beter iets vrolijks schrijven. Bijvoorbeeld over een jongen die verliefd is en indruk op Roosmarijn – eh... Sven herstelt zich ...op een meisje wil maken. Dat is meteen een goeie oefening. Tot nu toe is het hem nog niet gelukt om Roosmarijns aandacht te trekken. Maar daar komt nu verandering in. Hij doet vandaag zijn flitsende trui aan. Hij heeft er weken werkjes bij zijn oma voor moeten doen, maar nu heeft hij hem dan toch.

Sven doet zijn klerenkast open, maar zijn nieuwe trui ziet hij niet. Dat kan toch niet. Opnieuw glijden zijn ogen langs de rij kleren, maar de trui hangt er niet tussen. Heeft hij hem met zijn duffe kop soms ergens anders neergelegd? Hij denkt na, maar hij weet zeker dat hij de trui in de kast heeft gehangen. Hij haalt al zijn kleren eruit. Sven begrijpt er niks van. Zou Lennart hem soms hebben gepikt? Hij heeft nog zo gezegd dat hij eraf moest blijven. Maar van Lennart kun je alles verwachten. Sven loopt de kamer van zijn broer in, maar in Lennarts kast hangt de trui ook niet. Dat zegt nog niks. Lennart is heel goed in het verstoppen van andermans spullen. Waar vond hij laatst ook alweer zijn Nikes? Oh ja, onder het bed. Als Sven bukt ziet hij zijn trui liggen. Lennart heeft hem dus toch verstopt. Sven snapt niet wat daar nou lollig aan is. Hij gaat terug naar zijn kamer en trekt de trui aan. Trots gaat hij voor de spiegel staan, maar dan schrikt hij. Aan de voorkant van zijn trui zit een grote bruine vlek. Als hij de trui uittrekt ziet hij dat het een chocoladevlek is. Hoe komt die daar nou op? Als Lennart hem had gedragen was het hem heus wel opgevallen.

Ineens herinnert hij zich dat Timo uit Lennarts klas een feest had. Dus daarom stonden die twee zo stiekem te smoezen toen hij boven kwam. Lennart heeft zíjn trui aan Timo uitgeleend. Dat doet hij wel vaker. Omdat hij altijd moet zwemmen heeft hij nooit tijd voor zijn vrienden. Ze zijn allemaal afgehaakt, op Timo na. Maar die vertrouwt Sven helemaal niet. Hij denkt dat Timo alleen maar met Lennart omgaat omdat hij af en toe iets van hem krijgt. Lennart koopt de vriendschap gewoon af. Maar het moet hem zelf niks kosten. Het zijn altijd Svens spullen waar hij zo royaal mee is. Een tijdje geleden miste Sven een cd en toen kwam hij erachter dat Lennart die aan Timo had gegeven. Het zou hem niks verbazen als Lennart deze trui ook wilde weggeven. Maar dat hoeft hij dus niet te proberen.

Sven kijkt naar zijn trui. Die vlek krijgt hij er niet zomaar uit. Waardeloos, hij wilde nog wel indruk maken op Roosmarijn. Dat begint goed.

Hij loopt de keuken in. Bart zei dat hij extra goed moest ontbijten, maar hij heeft meteen geen trek meer. Als je een meisje wilt versieren heb je krachtvoer nodig, zei Bart. Bart kan het weten. Die heeft al zo vaak verkering gehad.

Sven smeert net een boterham als hij hoort dat buiten een auto stopt. Met de trui in zijn hand loopt hij de gang op. 'Lul!' valt hij tegen Lennart uit. 'Moet je zien wat je gedaan hebt. Er zit een vlek op mijn trui.'

13

'Wat nou?' zegt Lennart schijnheilig. 'Je zei zelf dat ik je trui mocht lenen.'

'Ik...?' Sven wordt razend. 'Dat heb ik nooit gezegd! Ik heb hem zelf nog niet eens aangehad.'

'Laat die vlek eens zien?' Svens moeder pakt de trui. 'Zo erg is het niet, die was ik er wel uit. Over een paar dagen kun je hem weer aan.'

'Daar heb ik wat aan,' zegt Sven. 'Ik heb hem nu nodig.'

'Hou eens op met dat gezeur over die trui,' zegt zijn vader. 'Lennart heeft net gezwommen. Wil je daar even rekening mee houden?'

'Ik wil niet dat je ooit nog aan mijn trui komt,' zegt Sven.

'Dat hoeft ook niet. Zeg maar wat die trui kost.'

'Honderdvijftig gulden,' zegt Sven.

Svens vader doet zijn portefeuille open. 'Hier Lennart, koop jij ook maar zo'n trui, dan heb je je broer niet meer nodig.' En hij geeft Lennart het geld.

'Dat is niet eerlijk,' zegt Sven. 'Ik moest hem zelf betalen en Lennart krijgt hem zomaar.'

'Niet zomaar, ik ben trots op mijn jongen.' Vader geeft Lennart een schouderklopje. 'Vijfentwintig meter vlinderslag in een recordtijd. En dan te bedenken dat zo'n fijne knul zo'n lamzak van een broer heeft die nog te beroerd is om 's morgens zijn bed uit te komen.'

Nu wordt Sven kwaad. Omdat hij niet precies doet wat zijn vader wil, is hij nog geen lamzak. Hij wil voor zichzelf opkomen, maar als hij de woede in zijn vaders ogen ziet, houdt hij zijn mond. Hij heeft geen zin in nog meer blauwe plekken.

Sven is nog steeds uit zijn humeur als hij op school komt. Bart kletst honderduit, maar hij zegt nauwelijks iets terug. Dat gedoe met de trui zit hem niet lekker. Hij weet best dat zijn vader Lennart altijd voortrekt, maar dit gaat toch echt te ver. Lennart pikt zijn trui en wordt daar nog voor beloond ook.

'Blijf je de hele dag zo gezellig?' vraagt Bart.

Wacht even, denkt Sven. Nu moet ik oppassen, anders krijgt Bart echt genoeg van me. Hij wil iets leuks zeggen, maar wat?

'Hoe zou het met Dieke en Lotte zijn?' vraagt hij.

'Dat horen we vanmiddag,' lacht Bart.

Sven wordt wat vrolijker als hij aan hun plan denkt. Hij hoopt dat het lukt. Soms is het superdruk in de chatbox en dan is het lastig om Dieke en Lotte te pakken te krijgen. Ze weten in elk geval hoe laat Hakim en Arnout gaan chatten. En die gaan vast op hun bericht in. Bart heet zogenaamd Melissa. Ze weten dat Arnout dat een supersexy naam vindt. Hakim wordt helemaal gek van Jamilla, maar ze willen niet beide namen gebruiken, dat valt te veel op.

'Weet je hoe ik ga heten?' vraagt Sven.

'Ssst...' Bart wijst naar Arnout en Hakim die eraan komen.

'Gaan jullie vanmiddag nog chatten?' vraagt Bart.

'Nou en of! Jullie komen toch ook? Dan gaan we met zijn vieren naar de chatbox, dat wordt lachen.'

Hier gaat even iets mis, denkt Sven. Dit moeten we natuurlijk niet hebben. 'Ik, eh... sorry, ik kan vanmiddag niet.'

'Ik ook niet,' zegt Bart. 'Ik moet een boodschap doen voor mijn moeder.'

'Nou, dan stellen we het toch uit tot morgen?' zegt Hakim.

Nee, hè? Daar schieten ze dus niks mee op.

'Gaan jullie nou maar gewoon samen chatten,' zegt Bart. 'Het was jullie plan. Ik weet niet eens of ik er zo'n zin in heb.'

'Van mij hoeft het eigenlijk ook niet,' zegt Sven.

'Nou ja!' Arnout en Hakim kijken hun vrienden stomverbaasd aan. 'Lekker chagrijnig, zeg. Nou, graag of niet, zou ik zeggen. Met zijn tweetjes is ook leuk.'

Sven kijkt Bart aan. Ze moeten wel weten welke chatbox ze nemen. Er zijn er zoveel.

'Jullie gaan toch niet naar die sexbox, hè?' vraagt Bart.

'Nee...' Hakim moet lachen. 'Dieke en Lotte zijn heel brave meisjes, die doen zoiets niet. Ze chatten in Plaza.'

Sven steekt zijn duim naar Bart op. 'Bedankt, jongens,' fluisteren ze. 'Dat wilden we even weten.' En ze lopen de school in.

Roosmarijn zit in de aula. Ze is zogenaamd haar gymspullen vergeten. Voor straf moet ze na het laatste uur terugkomen. Maar dat heeft ze er wel voor over. Ze moet haar Franse proefwerk leren.

Gisteravond kwam het er niet van. Dat had ze ook wel kunnen weten. Zo gaat het altijd als ze met Halima huiswerk gaat maken. Even een stukje van de film zien, alleen een beginnetje, zeiden ze tegen elkaar. En toen was de film zo spannend dat ze hem toch maar hebben afgekeken. Halima is vanochtend om vijf uur aan haar proefwerk begonnen. Dat was Roosmarijn ook van plan, maar stom genoeg is ze door de wekker heen geslapen.

Gelukkig is het stil in de aula. Roosmarijn vindt het alleen koud. Ze denkt erover om haar jas aan te trekken. Het is haar eigen schuld. Ze heeft een heel kort truitje aan. Er komt een flink stuk buik bloot. Haar moeder zei vanochtend nog dat het veel te zomers was, maar ze wilde natuurlijk niet luisteren. Ze voelt zich gewoon heel mooi in dit truitje. Als ze dat tegen Halima zou zeggen, neemt die haar in de maling. Halima vindt haar altijd mooi, wat ze ook aanheeft. Roosmarijn vindt zelf eigenlijk ook wel dat ze geboft heeft met haar uiterlijk. Ze wil later filmster worden. Na haar eindexamen gaat ze naar de toneelschool. Maar zover is het nog niet, eerst moet ze dat stomme Franse proefwerk leren. Ze slaat haar schrift open en begint.

'Ach, hebben ze je helemaal alleen gelaten?'

Roosmarijn schrikt op. Bob staat naast haar. Ze heeft haar leraar wiskunde niet eens horen binnenkomen.

Roosmarijn lacht. 'Zo eenzaam ben ik niet, ik zit mijn Frans te leren.'

Bob wil doorlopen, maar dan draait hij zich om. 'Nu ik je toch spreek, Roosmarijn, je hebt je proefwerk niet goed gemaakt.'

Roosmarijn zucht. 'Ik heb er uren op gezwoegd. Vorige week ben ik er al aan begonnen. Ik dacht dat het goed was gegaan.'

'Je snapt het nog niet helemaal. Weet je wat, kom maar even mee, dan leg ik het je uit. Ik heb toch een tussenuur.'

Roosmarijn kijkt naar de Franse woordjes. Ze kent ze al best goed. In elk geval goed genoeg voor een zes. Ze staat op en loopt met haar leraar mee. Als ze het lokaal binnenkomt, gaat ze uit gewoonte op haar eigen plaats zitten.

'Waar heb ik je proefwerk?' Bob zoekt tussen een stapel blaadjes. 'Aha, hier is het.' Hij gaat op de plaats van Halima zitten. 'Dus je zag mij in het park?' zegt hij dan. 'Waarom ben je niet naar me toe gekomen?'

'Ik dacht dat je met je vriendin was, dan ga ik je toch niet storen.'

'Ik maakte een wandeling met mijn zus.' Bob kijkt Roosmarijn aan. 'Met jou zou ik ook wel eens een wandelingetje willen maken.'

Roosmarijn voelt dat ze rood wordt. Ze krijgt het benauwd onder zijn blik. Ze mag Bob graag, maar hij moet niet zo naar haar kijken. Bob strijkt met zijn vinger over haar wang. 'Met je mooie gezichtje.' Hij wijst naar het figuur op Roosmarijns proefwerk. 'Hier heb je niks ingevuld. Waar loopt volgens jou de lijn die b snijdt?'

'Ik weet het niet.' Bob zit zo dicht tegen haar aan dat ze niet meer kan denken.

'Nou?'

Roosmarijn haalt haar schouders op.

Bob schudt zijn hoofd en pakt Roosmarijns hand. 'Hier loopt de lijn.' Hij laat haar vinger over het papier glijden. 'Nu wil je natuurlijk weten waarom, hè?'

Laat mijn hand los, denkt Roosmarijn. Ik wil helemaal niks meer weten. Ik wil weg, nu. Maar ze durft niet op te staan. Ze kijkt naar de deur, in de hoop dat er iemand binnenkomt.

Zodra Bob haar hand loslaat, legt ze hem op haar schoot. Dan kan Bob er tenminste niet meer bij.

'Luister.' En Bob legt Roosmarijn de som uit.

Roosmarijn probeert zich te concentreren, maar ineens ziet ze dat Bob niet in zijn boek kijkt, maar naar haar buik. De vlammen slaan haar uit. Ze zou haar hand er wel voor willen houden, maar ze doet helemaal niks. Ze durft niet eens meer te ademen. Onafgebroken kijkt ze naar de ogen van Bob die naar haar buik gluren.

En dan springt ze op.

'Wat is er?' vraagt Bob.

'Ik, eh...' Roosmarijn zoekt naar woorden. 'Ik ga weg, ik snap het toch niet en ik moet mijn Frans nog leren.'

Voordat Bob iets kan zeggen, pakt ze haar spullen en rent de klas uit. Weg hier! Dat is haar enige gedachte. Ze heeft het gevoel dat ze stikt.

Buiten haalt Roosmarijn diep adem. Ze voelt haar hart bonzen. Hoe kan Bob zoiets doen? Ze loopt over het schoolplein heen en weer. Als ze wat rustiger wordt, voelt ze pas hoe koud ze is. Ze gaat naar binnen om haar jas te halen, maar als ze voetstappen op de trap hoort, draait ze zich snel om.

Eenmaal buiten begrijpt ze er niks meer van. Waarom pakte ze niet gewoon haar jas? Ze hoeft toch niet bang voor Bob te zijn? Wat deed hij nou helemaal? Weer ziet ze voor zich hoe Bob naar haar keek. Het benauwde gevoel komt meteen terug. Waarom heeft ze dit? Waarschijnlijk heeft Bob het helemaal niet zo bedoeld. Het is toch vreemd dat ze ineens slecht over hem denkt. Toch durft ze de school niet in. Ze wacht tot de bel gaat en gaat dan pas naar binnen.

Halima hangt een verhaal over gym op, maar Roosmarijn reageert er niet op.

'Hoe vind je dat nou?' vraagt Halima. 'Die Kooiker is toch een tiran om ons zoveel rondjes te laten rennen?'

'Eh... wat...' Roosmarijn kijkt haar vriendin verward aan. 'Heb jij dat ook wel eens, dat iemand je aanraakt en dat je een heel benauwd gevoel krijgt?'

'Het ligt eraan wie het is.' Halima wijst lachend naar een jongen uit de derde. 'Van Eelco zou ik het wel willen.'

'Dat bedoel ik niet,' zegt Roosmarijn. 'Maar van een leraar?'

'Een leraar... Heeft Klefkees aan je gezeten?' Halima stuift op. 'Ik heb het toch steeds gezegd. Ik vind het zo'n vies ventje. Altijd dat geslijm van hem, bah, de kwijlebabbel! Dat pik je niet, hoor.'

'Het was Van Swieten niet.'

'Oh nee, wie dan wel?'

'Bob.'

'Bob?' Halima's mond valt open. 'Wat deed hij dan?'

'Hij legde me een som uit,' zegt Roosmarijn. 'En toen hield hij de hele tijd mijn hand vast.'

'Nou en?' zegt Halima. 'Dat bedoelt hij alleen maar aardig.'

'Ik weet het niet. Hij zei ook dat hij wel een wandelingetje met me wilde maken.'

'Daar meent hij niks van. Je kent Bob toch?'

Roosmarijn knikt. 'Maar hij keek er zo raar bij. Gadver!' Als ze eraan denkt, krijgt ze weer de kriebels.

'Ach Roos, wat haal je je nou in je hoofd? Moet je zien, ik pak nu ook jouw hand. Dat is toch heel normaal? Als een wildvreemd iemand dat nou doet, maar Bob... Hij is onze leraar.'

Roosmarijn zucht. 'Je hebt gelijk. Ik stel me aan.' En ze gooit geld in de automaat en haalt er een mars uit.

3

Roosmarijn zit naar haar bord te staren, terwijl haar brood allang op is.

'Heb je geen zin om naar school te gaan?' vraagt haar moeder.

'Het is acht uur, dan zit je meestal al op de fiets.'

'Oh, eh... jawel hoor.' Roosmarijn drinkt snel haar thee op. Haar moeder hoeft niet te weten waarmee ze zit. Ze zal er niks van begrijpen en dat is ook logisch, ze snapt het zelf niet eens. Halima heeft geprobeerd haar gerust te stellen, maar toch zit het haar nog steeds niet lekker wat er gisteren is gebeurd. Ze wil het gewoon niet, ze wil niet dat haar leraar zo naar haar kijkt. Dat mag ze toch vinden, of is dat raar? Nu zit ze er weer over te piekeren. Ze kan het maar beter vergeten. Roosmarijn pakt haar rugtas en trekt haar jas aan. Op de fiets komt ze erachter dat het al kwart over acht is. Ze mag wel opschieten, anders is Halima op de brug in slaap gevallen. Halima is absoluut geen ochtendmens. Vaak zit ze half slapend op de fiets. Roosmarijn moet lachen als ze komt aanrijden. Ze had nog gelijk ook. Halima zit op haar bagagedrager en hangt met haar ogen dicht tegen de brugleuning. Roosmarijn stapt heel stilletjes van haar fiets. Ze haalt haar flesje spa uit haar tas, draait het open en giet een scheut over Halima's hoofd.

'Help!' Halima is meteen klaarwakker. 'Oh, wat ben jij gemeen!' Ze droogt lachend haar gezicht af met haar mouw.

Roosmarijn weet niet wat ze meemaakt. Halima kletst aan één stuk door. Meestal begint ze pas een beetje te leven als ze bij school zijn.

'Het is wel een goeie actie,' zegt Roosmarijn. 'Ik denk dat ik je elke morgen maar op zo'n minidouche trakteer.'

'Dat moet je durven,' lacht Halima. 'Dan bedenk ik wel een of andere tegenactie. Onze poes had vanochtend weer een muis. Iets voor in jouw tas of zo?'

'Je laat het!' Roosmarijn griezelt van muizen.

Als ze door het centrum fietsen, horen ze naast zich getoeter.

Roosmarijn fietst gewoon door, maar Halima begint uitbundig te zwaaien.

'Hij toetert ook voor jou, hoor,' zegt ze dan.

Roosmarijn kijkt opzij. Van schrik botst ze bijna tegen Halima op. Ze kijkt recht in het gezicht van Bob.

Halima kijkt Roosmarijn stomverbaasd aan. Het is duidelijk dat ze er niks van snapt, maar opeens herinnert ze zich blijkbaar het gesprek van gisteren. 'Nee hè, Roos, je bent toch niet bang voor Bob geworden?'

'Laat me nou maar,' zegt Roosmarijn.

Maar Halima gaat erop door. 'Komt dat echt doordat Bob je hand heeft gepakt?'

'Ik weet het, ik ben gek, maar ik schrok gewoon. Daar kan ik toch niks aan doen? Bah!' Roosmarijn trapt op haar rem. 'Ik heb helemaal geen zin om naar school te gaan.' Ze heeft het gevoel dat ze bijna moet huilen.

'Maak je nou niet zo druk,' zegt Halima. 'We hebben vandaag niet eens wiskunde.'

'Nee, dat is zo,' zegt Roosmarijn. En al hadden ze wel wiskunde, ze zal toch weer gewoon de klas in moeten.

'Wat een afknapper, hè, gisteren?' zegt Bart.

Sven knikt. Hij vond het zelf ook jammer. Ze hebben ruim een uur achter de computer gezeten, maar ze kwamen er niet doorheen. Het leek wel spitsuur op internet. Ze hadden een lange rij vragen voor Dieke en Lotte bedacht, maar het lukte gewoon niet.

'Je zult zien dat zij nu al beethebben,' zegt Bart. 'Meiden genoeg in de chatbox.'

'Als dat zo is, kunnen we ons plan wel vergeten.'

'Nou eens iets anders.' Bart kijkt Sven aan. 'Krijg ik nog een vriend met verkering of zit het er de eerste tien jaar niet in?'

'Ik moet je teleurstellen,' zegt Sven. 'Ik heb bedacht dat ik Roosmarijn uit mijn hoofd moet zetten. Het wordt toch niks.'

'Nou ja!' Bart kijkt zijn vriend aan. 'Ben je echt zo'n eikel?'

'Geintje!' Sven trekt zijn vriend mee naar een hoek van het schoolplein. 'Ik heb een machtig goed plan, man.'

'Vertel op.'

'Ik ga een film maken met een meisje in de hoofdrol. En dat meisje wordt... Roosmarijn.'

'Deze versiertruc vind ik niet gek bedacht voor een beginneling,' zegt Bart. 'Maar je kunt het nog aantrekkelijker maken. Je moet zeggen dat je meedoet met een of andere wedstrijd. Roosmarijn wil filmster worden, die hoopt dat ze ontdekt wordt.'

Daar voelt Sven niks voor. 'Zo'n leugen komt altijd uit.'

'Wat ben je toch braaf. Maar waar wacht je nog op? Lanceer je superidee, man.'

'Niet zo'n haast,' zegt Sven. 'Ik heb het vanochtend pas bedacht.'

'Nou en? Hebben jullie het al gehoord?' roept Bart over het schoolplein. 'We krijgen een beroemdheid in de klas. Sven gaat een film maken en dat wordt natuurlijk een groot succes. Ik wed dat hij in de bioscoop gedraaid wordt.'

De halve klas staat meteen om hen heen. 'Vet! Heb je al een idee waar het over moet gaan?'

'Het gaat over twee mieren die gaan scheiden,' zegt Bart.

Sven schiet in de lach. 'Laat hem maar kletsen.' Maar hij heeft zo gauw ook geen idee. 'Eh...' Hij denkt aan zijn laatste manuscript. 'Over een meisje dat van huis wegloopt.'

'Heb je al iemand voor die rol?' vragen er een paar.

'Nee,' zegt Sven. 'Ik dacht dat er wel iemand in onze klas zou zijn, die dat wil.'

Roosmarijn reageert meteen. 'Mij lijkt het te gek.'

Maar ze is niet de enige die het leuk vindt. Stephanie en Mariska hebben er ook zin in.

'Ja, regisseur, daar sta je nou,' zegt Bart. 'Je moet ze auditie laten doen.'

'Dag!' zegt Stephanie verontwaardigd. 'En wie gaat dat beoordelen?'

Mariska valt haar vriendin bij. 'Dat doen we niet. Wij zijn alledrie kanjers. Laten we maar loten, dat is het eerlijkst.'

Willen ze loten? Sven schrikt. Dat is even een misrekening. Stel je voor dat Roosmarijn verliest, dan zit hij met Mariska of Stephanie opgescheept. Daar gaat zijn hele plan... wat moet hij nu zeggen?

'Loten is inderdaad een goed idee,' zegt Bart. 'Ik neem wel een getal in mijn hoofd. Een getal onder de vijftien.'
Sven wist niet dat Bart zo'n oen was. Op zo'n voorstel ga je toch niet in? Snapt hij dan niet wat er kan gebeuren?
'We beginnen,' zegt Bart.
'Zeven,' zegt Stephanie.
'Nee,' zegt Bart.
Gelukkig, denkt Sven.
'Jij Roosmarijn,' zegt Bart.
Alsjeblieft, raad het. Sven houdt zijn adem in.
'Negen,' zegt Roosmarijn.
Vol spanning kijkt Sven naar zijn vriend. Maar Bart schudt zijn hoofd. 'Mis.'
Stel je voor dat Mariska het raadt. Bart wordt bedankt. Sven ziet het echt niet voor zich om met Mariska een film te maken. Maar tot zijn grote opluchting heeft ook Mariska het mis.
'De tweede ronde,' zegt Bart plechtig.
'Twaalf,' zegt Stephanie.
'Nee,' zegt Bart.
'Elf,' zegt Roosmarijn.
'Helemaal goed. Meneer de regisseur, mag ik u voorstellen aan uw hoofdrolspeelster: Roosmarijn Klarenbeek.'
Sven kan zijn geluk niet op. Maar Roosmarijn ook niet. Ze voelt zich meteen een stuk beter. 'Wat moet ik eigenlijk doen?'
'Ik heb nog niet het hele scenario bedacht,' zegt Sven. 'Alleen het begin. Het lijkt mij het beste dat we bij jou thuis beginnen. Jij komt het huis uit met je rugtas en je trekt de deur achter je dicht. Een mooi begin toch?'
'Welnee,' zegt Bart. 'Je moet beginnen dat Roosmarijn op haar kamer haar spullen inpakt. Veel spannender.' Hij knipoogt naar Sven.
Echt Bart weer, denkt Sven. Hij gaat heus niet meteen met Roosmarijn alleen op haar kamer zitten. Dat durft hij niet.
'Ik, eh... we zien wel.' Omdat hij zo onzeker doet, wordt Roosmarijn ineens wantrouwig. 'Het is toch niet een of andere leuke grap van jullie, hè?'

'Hoe kom je daar nou bij?' En om haar daarvan te overtuigen, stelt Sven voor vanmiddag nog te beginnen.

'Eigenlijk wou ik mijn Duits leren. Maar dit is belangrijker. Hoe laat ben je bij mij?'

'We zijn om half drie uit. En dan moet ik naar huis om mijn camera te halen. Ik wilde hem niet meenemen.'

'Nogal logisch,' zegt Roosmarijn. 'Zo'n groot ding past niet eens in je kluisje.'

'Om half vier ben ik bij je.'

'Leuk hoor,' zegt Roosmarijn. 'Ik zie het helemaal zitten.'

'Dat was wel op het randje,' zegt Sven als hij met Bart de school inloopt. 'Ik had het niet meer toen dat loten begon. Sorry, maar erg snugger was het niet van je. Voor hetzelfde geld had een van de anderen gewonnen. Hoe denk je dat dat voor mij was geweest?'

'Je kent me toch?' zegt Bart. 'Dat had ik echt niet laten gebeuren. Waarom denk je dat ik het getal in mijn hoofd had?'

Sven kijkt zijn vriend aan. 'Je bedoelt dat je helemaal geen elf in je hoofd had?'

'Natuurlijk niet! Wie is hier nou niet snugger?'

'Jij bent echt een crimineel, hè?' Sven kan er niet over uit. Hoe bedenkt Bart het toch elke keer.

'Lekker laat zijn we, hè?' Arnout en Hakim komen de gang ingerend.

'Hebben jullie vanochtend zitten chatten?'

'Vanochtend?' Hakim moet lachen. 'Zo fanatiek zijn we niet. Ik denk niet dat er veel te chatten valt op dit uur.'

'Nou, gisteren viel er dus ook niet veel te chatten,' zegt Arnout. 'We kwamen niet eens in de chatbox.'

'Jullie ook al niet?' Sven schrikt er zelf van. 'Lennart klaagde er ook over,' zegt hij er gauw achteraan.

'We geven het nog niet op, hoor,' zegt Hakim.

'Nee,' Arnout zet zijn tas neer. 'Om vijf uur zitten Dieke en Lotte weer achter de computer.'

Bas en Sven kijken elkaar aan. Goed dat ze dat weten, dan hoeven zij het ook niet op te geven.

Halima is net zo opgewonden over de film als Roosmarijn zelf. 'Spannend, hè? Wedden dat je wordt ontdekt?' 'Helemaal te gek!' Van blijdschap rent Roosmarijn naar boven. Ineens ziet ze Bob boven aan de trap staan. Haar hart slaat een slag over. Ze draait zich om en loopt naar beneden. 'Wat ga je doen?' vraagt Halima. Roosmarijn schaamt zich. Halima mag niet weten dat ze voor Bob vlucht. 'Ik heb mijn fiets niet op slot gezet!' roept ze. Beneden in de gang blijft ze staan. Waar is ze nou mee bezig? Ze kan toch niet elke keer voor haar leraar wegrennen? Ze gluurt omhoog, maar Bob staat er nog steeds. Hoe moet ze dit nu oplossen? Als ze niet opschiet, is ze nog te laat in de les ook. Ga nou weg, man, denkt ze. Eindelijk loopt Bob weg.

Zo snel als ze kan rent Roosmarijn de trap op. Maar als ze boven is, gaat de tweede bel. Ze stormt de gang in naar het laatste lokaal, maar mevrouw Mijman trekt de deur al dicht. Nee, hè? Roosmarijn verbijt zich. Nou moet ze een te-laat-briefje halen!

'Ga maar gauw zitten,' zegt mevrouw Mijman als ze even later het briefje op tafel legt. Ze staat voor de klas met de proefwerkblaadjes in haar handen. 'Het is niet goed gemaakt. De helft van de klas heeft een onvoldoende.'

Shit, denkt Sven. Als hij er maar niet bij hoort. Bart heeft alles van hem overgeschreven en Bart moet een goed cijfer hebben, anders staat hij voor vijf vakken onvoldoende en dan redt hij het dit jaar niet.

Mevrouw Mijman houdt twee blaadjes omhoog. 'Met deze twee proefwerken is iets vreemds aan de hand. Ze zijn van Sven en Bart. Jullie hebben exact dezelfde fouten gemaakt.'

'Dat komt doordat we de laatste tijd zoveel bij elkaar zijn,' zegt Bart. 'We denken ook steeds hetzelfde. We hebben zogezegd een telepathische relatie.'

De hele klas ligt slap, maar mevrouw Mijman kan de grap niet waarderen. 'Mij lijkt het duidelijk. Sven heeft altijd een goed cijfer voor Engels. Ik ga ervan uit dat Bart heeft afgekeken. Dat kost je drie punten. Je hebt een vier.'

Sven schrikt. Die vier haalt Bart nooit meer op.

'Sorry mevrouw,' zegt hij. 'U vergist zich. Bart heeft zich suf geleerd, maar ik had er niks aan gedaan. Ik heb alles van Bart overgeschreven.'
'Als dat zo is, heeft Bart een zeven en krijg jij een vier, Sven.'
Bart geeft zijn vriend onder de tafel een por. 'Tof!'
Sven kan het niks schelen dat hij een vier heeft. Er is vandaag maar één ding dat hem interesseert. Hij zou het wel uit willen schreeuwen: 'Ik ga met Roosmarijn een film maken!'

'Moet je niet rechtsaf?' vraagt Sven als hij met Bart naar huis rijdt.
'Nee,' zegt Bart. 'Ik ga met jou mee. Ik ga je vanmiddag helpen. Een beetje goeie regisseur heeft toch altijd een assistent?'
Dat bevalt Sven helemaal niet. Hij wil Bart er niet bij hebben, maar als hij Barts gezicht ziet weet hij dat het een grapje is.
'Deze regisseur kan niemand gebruiken.'
'Jammer,' zegt Bart. 'Ik zou wel eens willen zien hoe jij het aanpakt. Nou ja, ik lees het morgen wel in de krant. Regisseur valt in katzwijm voor zijn hoofdrolspeelster. Hij ligt momenteel aan de beademing.'
'Jij hebt ook een wilde fantasie, hè? Maak je niet ongerust. Ik heb het helemaal in de hand. Tot morgen.' En Sven rijdt rechtdoor.
'Vergeet jij niet iets, met je "tot morgen",' roept Bart hem na.
Ineens weet Sven het weer. Hakim en Arnout gaan vanmiddag chatten, dat vingen ze op in de pauze. 'Foutje!' roept hij. 'Ik ben om vijf uur bij je.' En hij fietst door.
'Je treft het dat ik er nog ben,' zegt zijn moeder als Sven thuiskomt. 'Ik sta op het punt om naar het zwembad te rijden. Papa en Lennart zijn al onderweg.'
'Oh, gezellig.' Sven rent de trap op. Hij wil zijn camera vast instellen, dan hoeft hij niet bij Roosmarijn te klungelen. Het moet er superprofessioneel uitzien.
Sven is verbaasd als hij zijn kamer binnenkomt. Hij had zijn camera vanochtend toch al klaargelegd? Hij kijkt zijn hele kamer rond, maar de camera ligt er niet.
'Mam?' Sven rent de trap af. 'Weet jij iets van mijn camera?'
'Ja, die heeft papa meegenomen naar het zwembad.'

'Wat?' Sven kijkt zijn moeder aan. 'Ik heb hem zelf nodig. Ik ga filmen, dat heb ik vanochtend toch verteld.'

'Dat weet ik,' zegt zijn moeder. 'Maar Lennart wou zo graag dat papa de selectie opnam. Het is belangrijk voor de verbetering van zijn techniek, zie je.'

'Dat is toch belachelijk, het is mijn camera. Ik ga hem terughalen.' Sven kijkt op zijn horloge. Dat redt hij nog net. Zo ver is het zwembad niet.

'Dan zul je naar Haarlem moeten.'

'Is die voorselectie in Haarlem?' vraagt Sven geschrokken.

Zijn moeder knikt. 'Spannend, hè? Ik moet weg.'

'Maar ik heb mijn camera nodig! Er wacht iemand op me. Het is hartstikke belangrijk.'

'Ach Sven, jij kunt elke dag filmen. Maar je broer wordt niet elke dag voor de jeugdkampioenschappen geselecteerd. Als hij het nu zo fijn vindt dat papa het opneemt? Waarom ga je niet mee? Je kunt nu toch niet filmen.' Ze trekt haar jas aan. Als Sven blijft staan, zegt ze: 'Nou ja, dan moet je het zelf maar weten. Tot vanavond, jongen. Doe je de deur op slot als je weggaat?'

Sven is verbijsterd. Dit is weer typisch een streek van Lennart. Die heeft vanochtend vast doorgehad dat hij iets leuks ging doen. Dat gunt hij hem gewoon niet. Maar waarom niet? Sven snapt er niks van. Waarom moet Lennart hem altijd treiteren? En op zijn vader is hij ook kwaad. Hij hoort het hem al zeggen: 'Natuurlijk film ik jou, jongen.' Dat Sven een afspraak heeft, maakt hem niks uit. Het draait altijd om Lennart. Sven kijkt naar Lennarts prijzen die in de kast staan uitgestald. Hij heeft zin om ze een voor een door het raam te smijten.

27

4

Roosmarijn verheugt zich erop om met Sven een film te maken. Ze ziet het echt als een kans. Sven is keigoed. Vorig jaar heeft hij ook een film gemaakt. Het was een heel maf filmpje, over hoe leuk het is om leraar te zijn. De hele klas lag slap van het lachen. De film is ook op het schoolfeest vertoond. Hij sloeg in als een bom. En nu mag zij een film met Sven maken. Wie weet sturen ze hem wel op naar de televisie en wordt ze ontdekt. Het idee spreekt haar ook aan. Het lijkt haar wel wat om een meisje te spelen dat wegloopt. Stel je voor dat ze zelf zou weglopen, wat zou ze dan meenemen? Dat hangt er natuurlijk van af hoeveel er in haar rugtas past. Zoveel zal dat niet zijn. Roosmarijn pakt haar rugtas en keert hem om. Haar agenda komt open op haar bed terecht. Roosmarijns oog valt op het rooster van morgen. Het derde uur heeft ze wiskunde. Ze krijgt meteen een onrustig gevoel. Vandaag kon ze nog omdraaien toen ze Bob boven aan de trap zag staan, maar morgen moet ze zijn les volgen. Het idee dat ze dat lokaal weer in moet... Haar goede humeur is meteen weg. Voor de zoveelste keer denkt ze terug aan wat er is gebeurd. Ze was toen alleen met Bob. Misschien vond ze het daarom wel zo eng. Als hij tijdens de les zo naar haar had gekeken was het haar vast niet eens opgevallen en nu maakt ze er zo'n toestand van. Dat is ook niet eerlijk tegenover Bob. Waarschijnlijk herinnert hij het zich niet eens meer als ze er met hem over zou praten. Hij zou zich niet kunnen voorstellen dat ze er zo mee zat. Het is ook raar. Ze moet er nu eindelijk eens over ophouden. Ze kan beter aan de film denken. Roosmarijn pakt haar portemonnee en stopt hem in haar rugtas. 'En jou neem ik ook mee.' Ze haalt haar knuffelhaas van de plank en drukt hem even tegen zich aan. En haar walkman en lievelingscassettes moeten allemaal mee. Haar tas is al halfvol en ze heeft nog niet eens haar toiletspullen en haar kleren gepakt. Hoe moet dat nou?
Roosmarijn kijkt bezorgd naar de tas. Ineens moet ze lachen. Ze

leeft zich wel erg in haar rol in. Het is maar voor een film, ze loopt niet echt weg.

Sven ijsbeert door de kamer. Hij weet absoluut niet wat hij tegen Roosmarijn moet zeggen. Wat hij ook bedenkt, hij staat toch mooi voor paal zonder camera, dat is duidelijk. Bart moet maar weer redding brengen. Die weet altijd overal raad op. Sven toetst het telefoonnummer van zijn vriend in. Maar als de telefoon vijf keer is overgegaan, legt hij neer. Sven kijkt op zijn horloge. Hij heeft nog een minuut of vijf en dan moet hij echt weg. Als hij te laat komt, maakt hij het alleen maar erger. Zuchtend pakt hij zijn jas. Er zit niks anders op. Hij zal eerlijk moeten vertellen dat zijn broer zijn camera heeft meegenomen. Sven voelt weer dat hij razend wordt, maar daar schiet hij dus niks mee op. Hij stopt zijn blocnote en zijn pen in zijn rugtas. Dan kunnen ze tenminste aan het scenario werken. In elk geval wil hij ervoor zorgen dat het niet over een meisje gaat dat wegloopt. Dat zei hij vanochtend maar, omdat dat het eerste was wat in hem opkwam. Maar hij vindt het geen goed idee. Hij heeft zijn eigen scenario niet voor niks verscheurd. Het moet een vrolijke film worden. Niet dat hij de laatste tijd zo opgewekt is, maar als hij aan Roosmarijn denkt dan lukt het wel. Hij heeft altijd genoeg ideeën, daar komen ze straks wel uit. Als Roosmarijn hem tenminste niet wegstuurt. Sven stapt op zijn fiets. Hij moet er rekening mee houden dat Roosmarijn misschien kwaad wordt. Vanmiddag was ze ook al bang dat het een flauwe grap was. Hij hoopt niet dat ze ervan afziet, want dan heeft hij het pas echt bij haar verpest. En dat heeft hij dan allemaal aan zijn lieve broer te danken. Sven heeft al een tijdje geleden uitgezocht waar Roosmarijn woont. Toen had hij nog hoop dat hij haar af en toe zou tegenkomen, want zo ver is het niet van zijn huis. Maar dat is jammer genoeg nooit gebeurd. Gelukkig hoeft hij het nu niet meer van een toevallige ontmoeting te hebben. Hij gaat naar haar toe!

Sven rijdt de Vlaardingenlaan in. Voor nummer twaalf zet hij zijn fiets neer. Hij kijkt naar de voordeur. Het idee dat Roosmarijn daarachter woont en dat hij haar mag filmen... Hij is echt van plan er iets moois van te maken.

Sven heeft nog niet aangebeld of hij hoort iemand de trap afstormen. Dat is vast Roosmarijn. Nu maar hopen dat ze een beetje milde bui heeft.

'Welkom, regisseur!' Roosmarijn buigt voor hem als ze de deur opendoet. 'Ik ben net klaar met mijn rugtas. Moet je zien wat erin zit?' En ze gaat hem voor naar de kamer. 'Het was nog hartstikke moeilijk, hoor. Wat moet je nou meenemen?'

Als hij ziet hoe serieus Roosmarijn met haar rol bezig is, voelt Sven zich nog schuldiger. Roosmarijn houdt haar rugtas trots omhoog. 'Er kan helemaal niks meer bij.'

'Het ziet er top uit,' zegt Sven.

'Ja, hè?' Roosmarijn doet de rugtas om. 'Waar wachten we nog op?'

'Ik, eh... ik moet je iets stoms vertellen,' zegt Sven. 'Ik was helemaal vergeten dat ik vandaag mijn camera aan mijn broer had uitgeleend. Erg, hè? En ik kon hem nou niet meer terugvragen, want hij was al weg.'

'Grapje.' Roosmarijn lacht. 'Stel je voor dat je met zo'n gare smoes aan zou komen. Nou, dan kon je mooi ophoepelen.'

Sven wordt rood.

'Nee, mij neem je niet zo gauw in de maling. Daar zit jouw camera in.' Roosmarijn wijst op Svens rugtas.

Het zweet breekt Sven uit. Hij weet zo gauw niks te zeggen. Hij kan maar beter doen alsof het echt een grap was, anders is alles verloren. Hij moet proberen tijd te rekken, maar hoe?

'Zullen we beginnen?' Roosmarijn staat al bij de deur. 'Ik heb zin. Oh ja, hoe vind je dat ik moet kijken? Zo?'

'Perfect, maar eh...' Gelukkig schiet Sven iets te binnen. 'Je hebt te veel haast. We moeten het nog over het script hebben. Ik kan wel zoveel bedenken, maar jij moet het spelen.' Hij haalt zijn blocnote tevoorschijn. 'Ik had gezegd dat jij moest weglopen, maar achteraf...'

Roosmarijn laat hem niet eens uitpraten. 'Nee, niks achteraf. Ik vind het juist gaaf!'

Sven moet lachen om Roosmarijns enthousiasme. Als het idee

haar zo leuk lijkt, gaat hij het niet veranderen. 'Je kunt het vast ook heel mooi spelen,' zegt hij.

'Kom dan!' Roosmarijn staat al met haar rugtas bij de deur.

'Wacht even,' zegt Sven. 'We moeten nog bedenken waarom je wegloopt. Dat is belangrijk voor het verhaal.'

'Ik weet al iets,' zegt Roosmarijn. 'Ik heb steeds ruzie met mijn ouders.'

Sven krijgt een naar gevoel. Zo'n film wil hij niet maken, maar hoe moet hij dat zeggen?

Roosmarijn merkt dat Sven het niet leuk vindt. 'Het hoeft niet, hoor, ik bedenk zomaar iets. Weet je wat we ook kunnen doen?'

'Nou?'

'Ik was verliefd op een jongen en van mijn ouders mocht ik niet met hem omgaan. Dat kunnen we spannend maken.' Roosmarijn ziet het al helemaal voor zich.

Het lijkt Sven niks. 'Dan hebben we nog iemand nodig.'

'Weet je wie we vragen?' Roosmarijn kijkt Sven aan.

'Nou?'

'Arnout, die durft wel.'

Welja, denkt Sven. Haal Arnout er maar bij. Hij gaat een film maken om verkering met Roosmarijn te krijgen en dan mag hij de hele tijd naar de verliefde scènes van Roosmarijn met Arnout loeren. Straks is het na de film nog echt aan. Het zou wel weer echt iets voor hem zijn. Bart komt niet meer bij van het lachen als hij dit hoort.

'Denk je ook niet dat Arnout meteen ja zegt?' vraagt Roosmarijn. Ja natuurlijk, denkt Sven. Dat zou Arnout wel willen. Welke jongen wil er nu niet met Roosmarijn zoenen?

Roosmarijn ziet het helemaal voor zich. 'Zullen we Arnout meteen bellen?' Ze heeft de telefoon al in haar hand. Gelukkig kan Sven het nog net voorkomen.

'We moeten nog even doordenken. Je moet nooit het eerste nemen wat in je opkomt.' Hij kijkt naar Roosmarijn. Hoe krijgt hij dit idee uit haar hoofd?

'Oh,' zegt Roosmarijn als ze stemmen op de gang hoort. 'We moeten naar mijn kamer. Mijn moeder heeft les.' En ze gaat de trap op.

Sven voelt zijn hart bonzen. Over een paar tellen zit hij met Roosmarijn op haar kamer. Hoe vaak heeft hij daar niet van gedroomd? En nu is het echt!

'Eenvoudig optrekje, hè, voor een filmster,' zegt Roosmarijn als ze de deur opendoet.

'Wacht maar af tot je beroemd bent,' zegt Sven. 'Dan woon je in Hollywood, in een of andere dure villa.'

'En jij dan?' vraagt Roosmarijn.

Dan woon ik lekker bij je, denkt Sven. Maar dat zegt hij niet. Roosmarijn kijkt naar Sven. Je lacht wel heel lief, denkt ze. 'Ik, eh... ik haal even twee cola.'

Sven kijkt de kamer rond. Hij vindt het er erg gezellig uitzien. Zijn oog valt op een foto van een jongen die op het bureau staat. Zijn hart slaat van schrik over. Roosmarijn heeft een vriend... Sven voelt de grond onder zijn voeten wegzakken. Waarom heeft hij dit niet van tevoren uitgezocht? Bart had er zo voor hem achter kunnen komen. Maar hij wist zeker dat Roosmarijn vrij was. Nou, dat ziet hij. En dan moet hij nu een film met haar gaan maken? Wedden dat haar vriend ook gezellig komt kijken als hij af is? Echt feest. Dat zou zo'n kwelling zijn, daar moet hij van af. Morgen bedenkt hij wel een of andere smoes zodat het niet door kan gaan.

Als hij Roosmarijn op de overloop hoort, gaat hij gauw rechtop zitten. Ze mag niks aan hem merken.

'Ik heb nog een beter idee.' Roosmarijn zet twee glazen cola neer. 'We vragen niet Arnout, maar Hakim. Dan heb ik zogenaamd heel racistische ouders. Als die film ooit uitkomt, wordt het een succes. Alle meiden vallen op Hakim. Ik niet, hoor, ik vind hem alleen heel aardig.'

Ja, logisch, jij hebt al verkering, denkt Sven.

'Wel spannend.' Roosmarijn ziet het al helemaal voor zich. 'Dan moet ik met Hakim zoenen. Wat zal Stephanie jaloers zijn. Die is smoorverliefd op Hakim. Wist je dat?'

Sven denkt nog steeds aan de vriend van Roosmarijn. 'Nee, anders had ik hier niet gezeten.' Eh... wat zegt hij nou?

Op alles wat Roosmarijn vraagt, geeft Sven een verkeerd antwoord. Hij kan zich wel voor zijn kop slaan. Maar hij is echt in de war. Roosmarijn verzint maar door. En hij kan niks bedenken, terwijl hij anders altijd bruist van de ideeën. Hij kijkt maar naar de foto. Ineens valt het Roosmarijn op. 'Mooie foto, hè?' zegt ze trots.

Sven knikt. Roosmarijn loopt naar het bureau en pakt de foto. 'Julius is voor een halfjaar naar Australië. Daarom heb ik zijn foto neergezet, dan kan ik tenminste af en toe naar hem kijken.'

'Mis je hem?' vraagt Sven.

'Hartstikke, ik zal blij zijn als hij terug is.' Roosmarijn zet de foto weer op het bureau. 'Nog zes weken, broertje.'

Sven springt op. 'Broertje?'

'Ja,' zegt Roosmarijn. 'Wie dacht jij dan dat het was? Mijn liefje?'

'Zoiets,' zegt Sven.

'Nee hoor,' lacht Roosmarijn. 'Die mafkees is mijn broer.'

Sven is zo opgelucht dat hij Roosmarijn wel zou willen omhelzen. Alles gaat dus toch zoals hij had gehoopt. Alleen van Hakim moet hij nog af zien te komen.

'Luister,' zegt hij. 'Van dat verliefd vind ik wel een goed idee, maar het is ook jammer.'

'Hoezo, jammer?'

'Het wordt veel mooier als jij het alleen speelt.'

'Denk je?' Roosmarijn bloost. 'Nou, eh... dan moeten we iets anders bedenken.'

Sven is blij. Gelukkig schiet hem meteen iets te binnen. 'Jij wordt onterecht van iets beschuldigd en niemand gelooft je, zelfs je ouders niet.'

'Dat doen we!' Roosmarijn ziet het helemaal voor zich. 'Ik word nu al kwaad. Het lijkt me zo erg als je niet wordt geloofd. Natuurlijk loop je dan weg.'

Sven knikt. 'Maar dat gaan we de volgende keer opnemen.' Hij kijkt op zijn horloge. 'Het is al kwart voor vijf, ik moet naar Bart.'

'Prima.' Het komt Roosmarijn wel goed uit. Dan heeft ze voor het eten haar Duits nog af.

'Voor wanneer spreken we af?' vraagt Roosmarijn als Sven weggaat.

'Woensdag lijkt me wel wat,' zegt Sven.

33

'Maar dan kan het niet hier,' zegt Roosmarijn. 'Dan heeft mijn moeder schilderclub.'

'Dat geeft niet,' zegt Sven. 'Het kan ook bij mij. Tot morgen.' En hij fietst weg.

'Kom zitten, Annabel,' zegt Bart als Sven binnenkomt.

'Ah, Melissa, je bent tot de chatbox doorgedrongen.' Sven geeft zijn vriend een harde klap op zijn schouder.

'Dat doen meisjes niet,' lacht Bart.

Sven kruipt meteen in zijn rol. 'Even mijn lippen stiften. Jij ook?' Hij houdt Bart zogenaamd een lippenstift voor.

'Zeker waar jij met je kwijlbek aan hebt gelurkt. Nee, dank je wel. Waar blijven ze nou?' Het is druk in de chatbox. Bart leest de namen op. 'Fleur, Melanie, Iris, Jacinta, Pien, maar Dieke en Lotte staan er niet bij.'

Sven bedenkt ineens dat de jongens ook wel onder nieuwe namen zouden kunnen chatten. 'Noemen ze zich nog steeds Dieke en Lotte?'

'Je hebt gelijk, daarom kunnen we ze niet vinden,' zegt Bart. 'Ze hebben hun namen veranderd. Zouden dit ze soms zijn? Jessica en Paulien? Dat zijn ook twee vriendinnen.'

Sven gelooft er niks van. 'Die chatbox zit voor de helft vol vriendinnen, dat heeft geen zin.'

Bart zucht. 'Het was een leuk plan van ons, maar het werkt dus niet. Stoppen?' Hij heeft zijn hand al op de muis. 'Krijg nou wat!' Vlak voordat hij eruit wil gaan, geeft Bart Sven een stomp. 'Lotte en Dieke, daar zijn ze!' *Wij zijn Lotte en Dieke*, staat er. *Wij zijn veertien jaar en we hebben zin om met twee andere meiden te chatten.*

'Vlug,' zegt Sven.

Bart kijkt zijn vriend aan. 'Hoe beginnen we?'

'Dat je Melissa heet en dat je vriendin Annabel heet en dat we veertien zijn.' Bart tikt precies wat Sven dicteert.

Ze wachten vol spanning af of Hakim en Arnout erop ingaan.

'Yes!' roepen Sven en Bart tegelijk.

Dag Melissa en Annabel, staat er. *Wat gaaf dat jullie met ons willen chatten. Hoe zien jullie eruit?*

'Ja, hoe zien we eruit?' Bart moet lachen. 'Melissa is heel gespierd.'
'Ja,' zegt Sven. 'En Annabel heeft al twee haren op zijn borst.'
Maar dat tikken ze natuurlijk niet. Ze willen Hakim en Arnout juist lekker maken.
Annabel heeft rood haar, tikt Bart, *en Melissa lange blonde krullen.*
'Arnout wordt helemaal wild als hij aan blonde krullen denkt,' zegt Bart.
'En als Hakim een meisje met rood haar ziet, is hij meteen verliefd,' lacht Sven.
Ze zitten zowat met hun neus in het scherm als Barts moeder binnenkomt.
'Bart, denk je aan de telefoonrekening? Je zou op dit uur niet chatten, weet je nog?'
'Ja, ik stop zo,' zegt Bart.
'Raak!' roept Sven. 'Daar zijn ze weer. Die zijn slim! Ze vragen of we verkering hebben. Nou, nee dus.'
'Maar dat krijgen ze nog niet te weten,' zegt Bart. 'Laat ze maar even lekker in spanning. Tot vanavond. Hoe laat kun jij?'
'Acht uur.'
Sorry, we moeten stoppen, tikt Bart. *Vanavond zijn we er weer, om acht uur. Jullie hopelijk ook. Dag Lotte en Dieke, tot dan.* En ze verdwijnen uit de chatbox.
'Een topper!' Ze slaan de palm van hun rechterhand tegen elkaar. 'We hebben ze te pakken.'

5

Sven heeft zich in tijden niet zo goed gevoeld. Roosmarijn heeft er niks van gemerkt dat hij zijn camera niet bij zich had. En als hij aan het chatten denkt, moet hij weer lachen. Het komt hem goed uit dat zijn ouders nog niet thuis zijn, nu kan hij meteen aan het scenario beginnen. Hij gaat achter zijn computer zitten en kijkt pas een uur later weer op. Hij is tevreden met het resultaat. Hiermee kan hij wel bij Roosmarijn aankomen. Het moet hier en daar wat krachtiger, maar in grote lijnen is het er. Het ging wel erg makkelijk. Dat komt vast door zijn mega-inspiratiebron: Roosmarijn.

Aha, daar heb je zijn ouders. Zo te horen heeft Lennart zich prima door de voorselectie heen geslagen. Gelukkig maar, want als hij was afgevallen was de stemming beneden nul geweest. Sven heeft echt geen zin om naar beneden te hollen en zijn broer te feliciteren. Daarvoor is hij veel te kwaad op hem. Het zit hem nog steeds dwars dat Lennart zijn camera heeft meegepikt.

'Daar moet op gedronken worden!' hoort hij zijn vader zeggen.

Op de trap klinken voetstappen. Zijn moeder doet de kamerdeur open. 'Kom je even beneden? Het is goed gegaan met Lennart. We hebben onderweg lekkere hapjes voor bij de borrel gekocht. Ik heb al cola voor je ingeschonken.'

'Ik heb niet zo'n zin,' zegt Sven. 'Hij heeft wel mooi mijn camera meegejat.'

'Begin nou niet meteen over die camera,' zegt zijn moeder. 'We hebben nu feest.'

'Goed.' Sven zet de computer uit. 'Dan zeg ik het later wel, want ik baal er behoorlijk van.'

'Heb je het gehoord?' vraagt zijn vader als Sven de kamer inkomt. 'Je broer heeft fantastisch gezwommen. Ik heb het allemaal vastgelegd.'

Jaja, met mijn camera, denkt Sven.

'Egbert is eruit,' zegt Lennart. 'En Gijs-Jan ook.'

'Lennart zwom geweldig, maar papa heeft hem ook wel goed aangemoedigd.' Svens moeder kijkt er nog trots bij ook.
'Ja, dat kun je wel zeggen.' Vader neemt een slok van zijn bier. Sven is blij dat hij er niet bij was. Hij schaamt zich altijd voor zijn vader. Die is zo fanatiek. Hij heeft met niemand iets te maken, het gaat hem er alleen om dat zijn eigen kinderen winnen. Toen Sven een keer een wedstrijd zwom kreeg een jongen kramp. Op het moment dat het joch het van de pijn moest opgeven, begon zijn vader te juichen.
'Nou, jongen, op de voorselectie.' Svens vader heft zijn glas naar Lennart. 'Laten we maar hopen dat de videoband heel lang wordt. Morgen neem ik je weer op. En zorg ervoor dat ik me niet hoef te schamen.'
'Willen jullie een hele reportage maken, van elke dag?' vraagt Sven geschrokken.
'Ja,' zegt zijn vader.
'Dat gaat niet,' zegt Sven. 'Ik heb mijn camera zelf nodig. Ik ben met een film bezig.'
'Een film?' Zijn vader lacht. 'Je bedoelt dat je met je vriendjes filmploegje speelt. Word je daar niet een beetje te groot voor?'
'Hoezo, te groot?' Sven is beledigd. 'Ik blijf mijn hele leven filmen, het is mijn hobby. En deze film wordt heel belangrijk. Ik heb al een stuk van het scenario af.'
'Dan moet je maar werken met de camera die op zolder ligt.'
'Dat ding van opa?' roept Sven verontwaardigd. 'Daar valt niet mee te filmen. Er zitten allemaal krassen op de lens.'
'Voor die onzin van jou maakt dat niks uit. En hou nou op met dat gezeur. Ik heb feest. Ik bedoel: wij hebben feest. Als je alleen naar beneden bent gekomen om de sfeer te verzieken kras dan alsjeblieft op.'
Nu wordt Sven kwaad. 'Je hebt nooit iets met mij te maken. Alles draait hier om Lennart. Ik ben er ook nog, hoor!'
'Nee, we zullen ons leven om jou laten draaien, nou goed? Dan weten we tenminste zeker dat we in een inrichting komen. Wat wil je nou? Je bent toch zelf met zwemmen gestopt? En dan zeker wel jaloers op je broer worden.'

37

'Je snapt het niet. Ik ben helemaal niet jaloers.' De tranen springen Sven in de ogen. Waarom begrijpt zijn vader hem nu niet?
'En hou nou je kop!' schreeuwt zijn vader. 'Hoor je me?'
'Ik zeg al niks meer.' Sven staat op. 'Maar mijn camera leen ik niet uit. Ik heb hem zelf nodig.' Hij loopt naar de tafel en wil het toestel pakken, maar zijn vader springt op en legt zijn hand erop.
'Afblijven.'
'Het is mijn camera!' schreeuwt Sven. 'Ik heb hem voor mijn verjaardag gekregen.'
'En ik heb hem betaald. Wij hebben hem nu nodig. Na de selectie kun je hem weer gebruiken.'
'Dat kan niet.' Sven wil zijn camera toch pakken. 'Ik heb hem nodig.'
'Dit heb jij nodig!'
De klap komt hard aan. Sven voelt dat zijn neus heel warm wordt. Als hij zijn hand ertegen houdt, komt er bloed op. Voordat zijn vader weer kan uithalen, rent hij de kamer uit naar boven.
Zijn moeder komt achter hem aan. Ze houdt een washandje onder de kraan en duwt het zachtjes tegen Svens neus.
'Wat ben je toch ook dom. Ik had je nog zo gewaarschuwd. Je weet hoe papa is.'
'Ja, dat weet ik zeker. Hij geeft niks om mij. Alleen maar om Lennart,' zegt Sven.
'Dat is niet waar.' Moeder spoelt het washandje uit en geeft het terug aan Sven. 'Hou dit maar even tegen je neus. Ik ga naar beneden, anders krijgen we nog meer narigheid.'
Sven neemt zich voor de hele avond niet meer beneden te komen. Dan eet hij maar niet; hij heeft toch geen trek. Sven gaat voor de spiegel staan. Zijn neus doet pijn. Als die maar niet dik wordt. Vorige week had hij nog een opgezette wenkbrauw. Tegen zijn vrienden zei hij dat hij tegen de deur was opgeknald, maar daar kan hij toch niet mee aan de gang blijven. Dat gaat opvallen.
Sven zit nog het meest in over zijn camera. Zou zijn vader het echt menen? Daar moet hij even niet aan denken. Het is nog geen woensdag. Als Lennart morgen afvalt, hebben ze de camera niet meer nodig. Maar dat wenst hij zijn broer ook niet toe. Hij hoopt

heus wel voor hem dat hij overblijft. Hij is helemaal niet jaloers op Lennart. Maar zijn vader kan toch ook wel eens aan hem denken? Hij is tenslotte ook zijn zoon.

Sven wil op zijn bed gaan zitten als hij beneden de telefoon hoort. Hij hoopt dat het niet voor hem is. Hij heeft geen zin de kamer in te gaan. Sven luistert op de gang.

'Nee ma, die krijg je niet aan de lijn,' hoort hij zijn vader zeggen. 'Die kop wil ik voorlopig niet zien. Wat er is? Het bekende liedje. Meneer zat weer eens te etteren. Begin nou niet weer over die mevrouw Simons, ma. Ik geloof wel dat ze goed is, maar we hebben hier geen psycholoog nodig. Begrip? Hoezo begrip? Moet ik begrip hebben voor zo'n stuk ellende? Die koppigheid kun je er alleen maar uitrammen.'

Sven wil de rest niet meer horen. Hij gaat zijn kamer in en doet de deur dicht. Mevrouw Simons... die naam heeft hij zijn oma al vaker horen noemen. Waarom vindt ze dat ze hulp nodig hebben? Is er dan toch iets mis bij hen thuis?

Ineens wordt Sven bang. Nee, hij wil er niet aan denken en hij kruipt gauw achter zijn computer. Misschien kan zijn scenario hem opvrolijken. Maar als hij het overleest, vindt hij er niks meer aan. Sven zucht. Het leek vanmiddag zo goed te gaan en nu is het toch weer helemaal mis. Vanavond zou hij gaan chatten met Bart. Maar hij hoeft echt niet te denken dat hij de deur uitkomt. Bart zal wel kwaad worden als hij afbelt. Hij moet een smoes verzinnen. Hij besluit te zeggen dat hij hoofdpijn heeft. Tenslotte is dat nog waar ook. Sven sluipt naar de werkkamer van zijn vader en tikt Barts nummer.

Als Sven de volgende ochtend in de spiegel kijkt, is hij opgelucht. Zijn neus valt mee. Hij blijft net zolang boven tot hij de voordeur hoort dichtslaan. Voor de zekerheid kijkt hij nog even naar buiten tot hij de auto van zijn vader weg ziet rijden. Hij moet zich nu wel haasten, maar hij had echt geen zin om met zijn vader aan de ontbijttafel te zitten. Hij weet bijna zeker dat de ruzie weer opgelaaid zou zijn. En dan krijgt hij zijn camera helemaal niet terug. Sven loopt de trap af. Zijn moeder is er nog wel, maar van haar heeft hij geen last.

Gisteravond heeft ze nog brood met kaas boven gebracht. 'Niks zeggen, hoor,' zei ze toen. 'Papa mag het niet weten.' Ze is bang voor haar eigen man! Nu praat ze ook nergens over. Dat vindt Sven nu juist zo moeilijk. Hij heeft geen enkele steun aan haar. 'Je bent laat,' zegt zijn moeder. Sven knikt. Hij maakt snel een paar boterhammen klaar en stopt ze in zijn tas. Hij kijkt op de klok. Als hij wil dat Bart er nog staat, moet hij wel heel hard fietsen. Sven scheurt de straat uit. In de verte ziet hij het rode jack van Bart al.

'Ja, dat verbaast je, hè, dat ik hier sta,' zegt Bart. 'Jij bent zelf niet zo trouw.'

'Sorry,' zegt Sven. 'Ik kon gisteravond echt niet komen. Ik barstte van de koppijn.'

'En je hebt zeker nog nooit van een aspirientje gehoord. Nee, dat zal wel niet. Ik dacht dat je meer tijd zou hebben nu je niet meer hoeft te zwemmen, maar dat is dus niet zo. Waarom zeg je niet gewoon dat je ons plan niks aan vindt.'

'Hoe kom je daar nou bij?' zegt Sven. 'Ik vind het juist hartstikke leuk.'

'Je hebt het anders wel mooi verpest. Wedden dat Hakim en Arnout hebben afgehaakt toen wij er niet waren?'

Sven kan er even niet meer tegen. Alsof hij zo'n fijne avond heeft gehad. 'Zeur niet zo. Je had toch zelf kunnen gaan chatten?'

'Zie je het voor je?' vraagt Bart. 'Erg gezellig in je eentje. De gein is juist dat je het met zijn tweeën doet.'

'Ik doe het ook het liefst met zijn tweeën,' zegt Hakim die naast hen komt rijden.

Arnout is er ook bij. 'Die gast is helemaal oversekst. En weten jullie hoe dat komt? We hadden gisteren beet.'

'Twee superprinsessen,' zegt Hakim. 'Die van mij heet Annabel en ze heeft rood haar...'

'En de mijne heet Melissa,' zegt Arnout dromerig. 'Ze heeft blonde krullen... Die twee laten we echt nooit meer gaan.'

'Hebben jullie nog iets afgesproken?' vraagt Bart listig.

'Nee,' zegt Hakim. 'Ze wilden gisteravond chatten, maar toen konden we niet.'

'Mijn broer zat achter de computer en we kregen hem niet weg. Maar morgen gaan we weer, hè Hakim, om vier uur. Weet je dat ik aan niks anders kan denken?'

'Ik ook niet,' zegt Arnout.

'Pas maar op,' waarschuwt Bart. 'Misschien hebben ze al verkering.'

'Denk je dat we achterlijk zijn of zo? Dat hebben we allang gevraagd.'

'En?'

'Daar hebben we nog geen antwoord op gekregen, ze moesten stoppen.'

'Kom op,' zegt Hakim. 'Dit moet de hele klas weten.' En ze crossen het hek door.

'Te gek!' Bart is meteen niet boos meer. 'Wat een mazzel dat zij gisteren ook niet konden.'

'Dat wist ik wel,' zegt Sven.

'Jaja,' Bart duwt hem bijna omver als ze samen het hek doorgaan. 'Dat wist hij...'

'Ik weet nog iets. Onze grap gaat zeker lukken.' Sven wijst naar hun vrienden die over hun vangst vertellen.

'Het gaat ook lukken,' zegt Bart. 'Maar dan moet je er morgen wel zijn. Hoor je me?'

'Eh wat...?' Sven kijkt naar Roosmarijn die het schoolplein opkomt. Zag hij dat goed? Zwaaide ze naar hem?

'Naar wie zwaaide je nou?' vraagt Halima.

'Geheimpje,' zegt Roosmarijn.

'Jij bent stiekem verliefd, hè?' zegt Halima. 'Ik dacht al zoiets te zien. Op wie ben je?'

'Dat zeg ik lekker niet.' Roosmarijn wil het niet vertellen. Ze weet zelf nog niet of ze echt verliefd op Sven is. Ze merkt wel dat ze steeds aan hem denkt. Ze besluit niet meer zijn kant op te kijken. Maar het lijkt wel of haar ogen naar hem toe worden getrokken. Na een paar minuten kijkt ze weer.

Halima ziet het, maar omdat Marco vlak voor Sven staat denkt ze dat Roosmarijn naar hem zwaait. 'Ben jij op Marco?'

Roosmarijn moet in zichzelf lachen. Hoe kan Halima dat nou denken. Als ze aan iemand een hekel heeft, dan is het wel aan Marco, maar ze laat haar vriendin lekker in de waan. 'En wat dan nog?'
Halima vliegt haar bijna aan. 'Wie is er nou verliefd op dat walgelijke joch? Hij scheldt Johan altijd uit voor blinde vink, alsof het zo leuk is om haast niks te kunnen zien.'
'Kan ik het helpen, ik vind hem gewoon een stuk,' zegt Roosmarijn met een uitgestreken gezicht. 'En hij heeft ook zo'n stoere vriend, is dat niks voor jou?'
'Die Roel? Nooit van mijn leven,' zegt Halima.
Als Roosmarijn weer Svens kant opkijkt, grijpt Halima haar vast en schudt haar door elkaar. 'Oh, nou zie ik het. Pestkop! Je bent op Sven.'
'Ik weet niet of ik echt verliefd op hem ben hoor,' lacht Roosmarijn. 'Het kan ook komen doordat we samen een film maken.'
Halima is meteen enthousiast. 'Jullie passen echt bij elkaar. Sven wil filmen en jij wil filmster worden. Ik zie het al helemaal voor me. Ik kom kijken, hoor, in Hollywood. En dan kom ik bij jullie logeren.'
Het is echt weer iets voor Halima om zo door te draven. 'Hou op!' zegt Roosmarijn. 'We gaan trouwen, nou goed? We hebben alleen nog maar naar elkaar gezwaaid, hoor!'
'De bel!' Halima trekt haar mee.
Roosmarijn schrikt. Ze was het even vergeten, maar ze hebben wiskunde. Ze raakt bijna in paniek. 'Ik, eh... wil je tegen Bob zeggen dat ik mijn werkstuk voor biologie ben vergeten?'
'Waar heb je het over? We hebben vanmiddag pas biologie,' zegt Halima. 'Dan haal je het toch in de pauze?'
'Nee, eh... dan kan ik er niet in. Mijn ouders gaan zo weg.'
'En wat is dit dan?' Halima haalt Roosmarijns sleutelbos uit haar zak.
Roosmarijn wordt rood. 'Kijk me niet zo aan. Ben je soms van de recherche. Jij spijbelt toch ook wel eens een uurtje?'
'Nooit onder wiskunde. Wie doet dat nou? Het is juist zo gezellig

bij Bob.' Ineens heeft Halima haar door. 'Ik snap het al, jij durft niet naar binnen, is dat het?'

'Zoiets.'

'Luister, Roos,' zegt Halima. 'Hier moet je voor oppassen. Dit is echt niet meer normaal.'

'Nou en? Dan ben ik maar niet normaal,' zegt Roosmarijn koppig.

'Oh, gaan we zo doen. Moet ik soms het traumateam voor je bestellen, omdat Bob aardig naar je heeft gekeken?' Nu moet Roosmarijn toch een beetje lachen.

'Mee jij.' En Halima pakt Roosmarijns hand.

Misschien is het wel goed dat ik ga, denkt Roosmarijn. Ik moet er toch doorheen. Misschien is Bob wel kwaad omdat ik laatst zomaar wegliep. Maar als ze de klas inkomt, groet Bob haar heel vriendelijk. Zie je wel, denkt ze. Ik moet me niet zo aanstellen, er is niks aan de hand. Roosmarijn gaat naar haar plaats.

'Heb je gisteravond televisie gekeken?' vraagt Susan als Bob de absenten noteert.

Bob schudt zijn hoofd.

'Dan heb je wat gemist,' zegt Susan. 'Ze lieten een onderwaterfilmpje zien van de Rode Zee. Mooi! Daar ga jij toch duiken?'

'Nou en of.' Bob glundert.

'Je hoeft heus niet helemaal naar de Rode Zee om mooie vissen te zien,' zegt Sven. 'Die heb je hier in Europa ook.'

'Ik ga niet alleen voor de vissen,' zegt Bob. 'Ik wil een zeemeermin opduiken.'

'Gaaf! Zo'n verkering wil ik ook wel,' zegt Bart. 'Als ze nog een zus heeft, neem je die dan voor mij mee?'

'Een momentje.' Bob pakt een pen. 'Even een boodschappenlijstje maken. Bart een zeemeermin.'

'Doe mij maar een lekkere stoere haai,' zegt Halima.

Bob kijkt Arnout en Hakim aan. 'Jullie nog een zeemeermin?'

'Wij hebben net twee zeemeerminnen opgedoken,' zegt Arnout. 'In de chatbox.'

Als iedereen is uitgelachen pakt Bob de proefwerkblaadjes. 'Jullie zien het zeker wel aan mijn ernstige gezicht. Het is bar slecht gemaakt. Ik stel voor dat we dit als een oefenproefwerk beschouwen.'

'Tof!' roept de halve klas.

'Ik zal het hoofdstuk opnieuw uitleggen,' zegt Bob. 'Neem allemaal je boek voor je.'

Roosmarijn let goed op. Ze heeft echt het gevoel dat ze het nu snapt.

'En nou gaan we nog even controleren of jullie het inderdaad onder de knie hebben.' Bob schrijft een som op het bord. 'Ga je gang.'

Eerst blijft hij een tijdje zitten, maar dan staat hij op en loopt langs de tafels. Roosmarijn krijgt meteen een akelig gevoel. Hoe dichter Bob bij haar komt, hoe onrustiger ze wordt. Ze weet dat ze zich niet moet aanstellen, maar het gaat gewoon vanzelf. Haar hart begint steeds sneller te kloppen. En als de leraar naast haar tafel staat lijkt het wel of haar adem wordt afgesneden. Bob legt zijn hand op haar schouder. Roosmarijn weet dat het niks te betekenen heeft omdat hij dat bij iedereen doet, maar ze kan er niet tegen. Loop alsjeblieft door, denkt ze. Ze heeft het meteen hartstikke warm.

Gelukkig, Bob laat haar los, maar terwijl hij doorloopt, schuift zijn hand langs haar borst.

Roosmarijn verstijft.

'Wat is er?' vraagt Halima die merkt dat Roosmarijn ineens niet meer werkt.

'Hij zat aan mijn borst,' fluistert Roosmarijn.

'Wat zeg je me nou?' Halima denkt dat ze het verkeerd heeft verstaan.

'Eerst lag zijn hand op mijn schouder. Maar toen hij hem weghaalde, voelde hij aan mijn borst.'

Halima kijkt haar stomverbaasd aan.

'En het was niet per ongeluk,' zegt Roosmarijn.

'Jasses!' Halima flapt het eruit. Sommigen kijken even hun kant op, maar verder reageert niemand. Iedereen is veel te druk met de sommen.

Roosmarijn is helemaal in de war. Ze wil de som afmaken, maar het lukt niet meer. Ze denkt steeds aan de hand op haar borst. 'Lukt het, Roosmarijn?' Bob kijkt haar aan. 'Ja, eh... hartstikke goed,' zegt Roosmarijn gauw. Stel je voor dat hij weer naast haar komt staan. Ze rilt bij die gedachte.

6

Sven had er de hele week stiekem op gehoopt dat zijn vader zijn camera zou teruggeven, maar dat is niet gebeurd. Nu zitten ze aan het ontbijt. Sven durft er uit zichzelf niet over te beginnen. Zijn vader weet dat hij hem vanmiddag nodig heeft. Toch geeft Sven de moed nog niet op. Het zou echt iets voor zijn vader zijn om op het laatste moment met de camera aan te komen zetten. Vol spanning ziet Sven hoe zijn vader zijn jas aantrekt en zijn koffer opendoet. 'Heb ik alles? Ja, mijn brood zit erin. Nou, dan wens ik iedereen een prettige dag.' En Svens vader loopt naar de deur.

Nee, denkt Sven, dit kun je niet menen. Je wilt me alleen maar aan het schrikken maken. Hij hoopt dat zijn vader zich alsnog omdraait en zegt dat hij iets is vergeten. Maar hij hoort de voordeur dichtslaan. Sven kan het niet geloven. Zou hij echt wegrijden? Hij rent naar het raam, maar zijn vader start de auto en rijdt de straat uit.

Wat moet hij nu? Sven gaat naar zijn kamer. Hij kan toch niet weer de hele middag met Roosmarijn aan het scenario werken? Dan is de lol er gauw af. Maar wat dan? Als hij vertelt dat hij voorlopig geen camera heeft, kapt ze er vast mee. Sven geeft een trap tegen zijn bed. Zijn hele plan is verpest. Het is niet eerlijk, het is zijn camera! Wist hij maar waar zijn vader hem heeft verstopt, dan nam hij hem zo mee. Hij ligt waarschijnlijk in de kluis. Daar kan hij niet eens bij. Zijn vader is de enige die daar een sleutel van heeft. Of zou hij hem in zijn bureau hebben opgeborgen? Sven gaat zijn vaders werkkamer binnen, loopt naar het bureau en trekt de la open. Yes! Daar ligt zijn camera. Ineens bedenkt hij dat ze tot drie uur school hebben. Zijn vader komt om vier uur thuis om met Lennart naar het zwembad te gaan, dan kan hij hem niet op tijd terugleggen. En hij durft hem niet zo mee te nemen. Hij kan het wel doen, maar dan zit hij morgen met een blauw oog in de klas. En reken maar dat zijn vader de camera dan in de kluis legt en hem nooit meer teruggeeft. Nee, hij schiet er niks mee op. Hij moet zich erop voorbereiden dat de film niet kan doorgaan.

Roosmarijn zit aan het ontbijt. Ze legt haar boterham terug. Ze heeft geen trek. Gisteravond heeft ze ook bijna niks gegeten. Ze is veel te veel van streek door wat er op school is gebeurd. Vannacht kon ze er niet van slapen. Ze zag steeds Bob voor zich. Ze hoopt stilletjes dat haar ouders vragen of er iets met haar is. Het zit haar zo hoog dat ze het echt niet voor zich zou kunnen houden. Maar uit zichzelf durft ze er niet over te beginnen. Jammer genoeg merken haar ouders niets. Die hebben problemen in hun bedrijf en dat slokt ze helemaal op. Ze hebben nergens anders aandacht voor.

Roosmarijn pakt haar tas in. Het is maar goed dat ze vandaag geen wiskunde heeft, anders zou ze echt niet naar school gaan. Ze heeft toch al zo'n pech, want Halima is naar de dokter. Nu moet ze het hele eind alleen fietsen.

'Ik ga!' roept Roosmarijn. Ze stapt op haar fiets en rijdt weg. Als ze vlak bij school is, wordt ze ineens bang. Ze overweegt om te draaien. Ze kan zeggen dat ze ziek is. Als ze terug wil gaan, moet ze het nu doen. Roosmarijn aarzelt. Dan ziet ze aan het eind van de straat Sven de hoek omkomen. Even daarna crosst hij het schoolplein op. Roosmarijns hart begint sneller te kloppen. Ze hoeft meteen niet meer te denken. Natuurlijk gaat ze naar school. Dit is wel het bewijs: ze is dus echt verliefd op Sven. Als ze het schoolplein opkomt en Sven naar haar zwaait, doet ze expres heel stoer. Ze wil niet dat hij er iets van merkt.

'Hé, daar heb je mijn regisseur!' Zodra ze haar fiets heeft weggezet, gaat ze bij hem staan. 'Spannend hè, vanmiddag. Ik heb er zo'n zin in.'

Sven voelt zich schuldig. Roosmarijn is zo enthousiast en nu moet hij zeggen dat hij geen camera heeft. Toch kan hij het beter nu meteen vertellen, dan is hij er tenminste van af. Hij telt tot drie. 'Weet je...' begint hij. 'Ik, eh...' Maar als hij Roosmarijns stralende ogen ziet, durft hij niet meer. 'Ik, eh... ik heb het scenario al bijna af.'

Erg enthousiast klinkt het niet, denkt Roosmarijn. Ze had gehoopt dat hij het haar meteen zou laten zien. Maar ze wil niet dat hij iets merkt van haar teleurstelling. 'Ik ga even naar Susan.' Roosmarijn heeft geen goed gevoel als ze wegloopt. Er is iets, dat merkte ze aan Sven. Zou hij er nu al geen zin meer in hebben? Sven kijkt haar na. Je bent echt heel mooi, denkt hij. Zo'n mooi meisje vind ik nooit meer. Dat is nog eens iets anders dan die opdringerige Miranda van de vakantie. Die overstelpt hem nog steeds met brieven. Sven reageert er niet eens meer op. Hij heeft haar duidelijk laten merken dat hij niks voor haar voelt. Miranda moet het zelf weten dat ze blijft schrijven.

In de brugklas vond Roosmarijn geschiedenis nog een leuk vak, maar sinds ze mevrouw De Raaf hebben, is dat helemaal veranderd. Roosmarijn is niet de enige, de halve school is bang voor haar. Ze heeft zo'n streng gezicht en een paar heel donkere ogen die de klas in priemen. Je hoeft maar één woord te zeggen en je staat al op de gang. Het moet altijd doodstil zijn tijdens haar les, je mag niet eens gaan verzitten. De stilte werkt Roosmarijn juist op de zenuwen. Ze heeft altijd wat onder de les. De vorige keer had ze de slappe lach en nu heeft ze weer een kriebel in haar keel. Ze hoest telkens. 'Waar is Halima?' vraagt Susan als mevrouw de Raaf iets uit de kast pakt.
'Naar de dokter.' Roosmarijn kijkt weer snel voor zich. Ze heeft geen zin om eruit gestuurd te worden.
Als Roosmarijn weer hoest zegt mevrouw de Raaf dat ze een slokje water moet gaan drinken. Roosmarijn loopt naar de kraan. Op weg naar haar plaats krijgt ze een briefje van Susan. Roosmarijn vouwt het open. 'Je mag zelf ook wel naar de dokter,' staat erop.
'Je bent allergisch voor De Raaf.' Roosmarijn schiet in de lach. Susan heeft vast en zeker gelijk. Het slokje water heeft niet geholpen. Als Roosmarijn weer moet hoesten, besluit ze naar de gang te gaan. In haar jaszak zitten nog een paar dropjes. Ze staat op en loopt de klas uit. Ze blijkt dus echt allergisch voor mevrouw De Raaf te zijn. Op de gang wordt het gehoest al minder. Ze gaat de dropjes toch maar halen. Bij de kapstok buigt ze zich over haar jas heen. Ineens houdt iemand een hand voor haar ogen.

48

Bob... schiet het door Roosmarijn heen, en ik ben helemaal alleen met hem. Van angst geeft ze een gil.

'Sinds wanneer schrik je van mij?'

Roosmarijn herkent de stem van Halima en haalt opgelucht adem.

'Oh, jij bent het.'

'Je ziet hartstikke wit,' zegt Halima.

'Ik dacht dat het Bob was.' Roosmarijn staat nog te trillen op haar benen.

'Roosje toch, wat erg! Dat komt door gisteren. Je bent je doodgeschrokken, maar daar gaan we iets aan doen. Ik heb er iets op bedacht,' zegt Halima.

'Als je maar niet denkt dat ik naar de directeur ga.' Roosmarijn kijkt haar vriendin beslist aan.

'Je hoeft niet naar de directeur. Ik heb een veel eenvoudiger oplossing. We moeten er gewoon voor zorgen dat die smeerlap je niet meer kan aanraken.'

'Ja, dat is makkelijk gezegd. Ik zal toch naar wiskunde moeten.'

'Logisch,' zegt Halima. 'Maar wat denk je ervan om van plaats te wisselen. Als ik nou aan de buitenkant ga zitten, dan heb je nergens meer last van.'

'Wat goed bedacht.' Halima heeft gelijk. Als ze bij het raam zit, kan Bob zoveel langslopen als hij wil.

'Dat heeft je vriendin toch maar weer goed voor je opgelost, hè?' zegt Halima.

'Hartstikke goed.' Roosmarijn slaakt een diepe zucht.

Ze willen net naar de les gaan als de bel gaat. Roosmarijn is blij dat het pauze is en haalt haar rugtas op.

Als ze even later door de hal lopen, wijst Halima naar het bord met roosterwijzigingen. 'Kijk eens wat een gelukkie, Klefkees is ziek. We hebben de laatste twee uur vrij.'

'Veel eerder,' rekent Roosmarijn uit. 'We gaan voor de lange pauze al weg.'

Bart ziet het ook en stoot Sven aan. 'Heb je het gezien?'

'Wat?' Sven was in gedachten.

'We zijn al om één uur uit,' zegt Bart. 'Luister je eigenlijk wel?'

'Eén uur?' Ineens dringt het tot Sven door. Dan kan hij wel met

49

Roosmarijn filmen. Als zijn vader om vier uur thuiskomt, zijn ze allang klaar. Sven is nog nooit zo blij geweest dat er een paar uur uitviel. Maar hij is niet de enige. Arnout en Hakim zijn ook blij. 'Dan kunnen we meteen na biologie gaan chatten,' horen ze Hakim zeggen.

'Doen we,' zegt Arnout. 'Als die meiden er maar zijn.'

'Die zijn er zeker,' fluistert Bart.

Sven snapt wat Bart bedoelt. 'Ik kan alleen niet te lang,' zegt hij. 'Ik moet filmen met Roosmarijn.' Hij hoopt tenminste dat ze eerder wil beginnen. Maar Roosmarijn heeft dezelfde gedachte. 'We hoeven nu toch niet tot drie uur te wachten?' vraagt ze.

'Natuurlijk niet,' zegt Sven. 'We beginnen lekker een uurtje eerder.' Gelukkig, denkt Roosmarijn, hij vindt het dus toch leuk. Anders zou hij niet zo enthousiast zijn. Met een blij gevoel loopt ze de klas in.

Overmoedig zet Bart 's middags de computer aan. 'Dieke en Lotte,' roept hij. 'Hier zijn jullie vriendinnen.' Maar als het hem na een kwartier nog niet is gelukt om verbinding te krijgen, geeft hij van woede een klap op zijn computer.

'Laat mij het maar even proberen.' Sven gaat naast Bart zitten.

'Alsof dat iets uitmaakt.' Bart schuift de muis geïrriteerd Svens kant op.

'Natuurlijk maakt dat uit. Je moet je computer streng toespreken.' Sven houdt zijn gezicht vlak voor het scherm. 'Hé, supersonisch wonder, wat is dat nou? Dit zijn we niet van je gewend, hè? Verbind ons eens gauw door. Ik tel tot drie...'

'Ja, heel grappig.' Bart kan de lol er niet van inzien. 'Een, twee, drie.'

'Krijg nou wat! Hij doet het!'

'Ach ja,' lacht Sven. 'Een kwestie van overwicht, hè?'

Bart kan bijna niet wachten. 'Ik vind het zo'n kick dat die twee er nu ook achter zitten.'

'Dat hoop je,' zegt Sven.

'Natuurlijk zijn ze er. Ze hebben het nergens anders over.'

'Daar zijn ze!' Sven ontdekt de twee namen het eerst.

Hallo Annabel en Melissa, hier zijn Lotte en Dieke weer. Willen jullie antwoord geven op onze vraag? Hebben jullie al verkering? 'Hahaha... Ze houden het niet meer uit! *We hebben geen verkering,* goed?' Bart kijkt Sven aan. '*Dat komt omdat we een heel speciale wens hebben,*' dicteert Sven. '*Wij zoeken namelijk twee jongens die met elkaar bevriend zijn, net als wij. Dat lijkt ons super!*' 'Ik wou dat ik die koppen kon zien,' zegt Bart. 'We horen het morgen wel.' Sven leest de volgende vraag alweer op. *Waar vallen jullie op?* 'Nou, niet op jullie,' Bart lacht. 'Maar dat zeggen we niet. *Annabel valt op donkere jongens.*' 'Ja,' zegt Sven. '*En Melissa op lange blonde jongens. Maar ze moeten wel bijdehand zijn.*' 'Die gaan helemaal uit hun dak.' Bart wijst naar het scherm. 'Moet je zien wat ze nu vragen. *Hebben jullie al eens gezoend?*' En Bart tikt: *Nog niet, maar we willen het wel graag proberen. En jullie?*

Wij hebben al heel vaak gezoend, staat er op het scherm. 'Wat een leugenaars!' roept Bart. 'Zij wel, hoor. Alsof ze zo ervaren zijn. Ze hebben het zeker over het nachtkusje van hun moeder. Voor straf gaan we ze lekker opfokken.' *We zoeken echt verkering*, tikt hij. *Weten jullie hoe we dat moeten aanpakken?* Vol spanning wachten ze op antwoord. 'Het duurt even,' zegt Sven. 'Dit is geen gemakkelijke. Ah, daar is het antwoord.' En hij leest voor: *Wij weten wel twee jongens die er zo ongeveer uitzien als waar jullie op vallen. Ze zitten in onze klas. We kunnen wel iets voor jullie regelen. Willen jullie dat?* 'Die zijn brutaal! En dan staan zij er. Ze denken dat ze bijdehand zijn. Ze moesten eens weten...' 'We geven nog geen antwoord,' zegt Bart. *We moeten erover nadenken*, tikt hij. *En we moeten nu stoppen.* Hij kijkt Sven aan. 'Wanneer zijn we er weer?' 'Overmorgen of zo?' zegt Sven. 'Dat mochten ze willen. We zullen ze even lekker laten zweten.' *Wij kunnen volgende week pas weer.*

7

Als Sven thuiskomt gaat hij meteen naar de werkkamer van zijn vader. Hij doet de la van zijn vaders bureau open. Hij moet goed onthouden hoe zijn vader de camera in de la heeft gelegd. Zijn vader is een precies mannetje, hij merkt alles. Sven pakt de camera uit de la en haalt de videoband eruit. Die stopt hij straks wel weer terug. Zo, denkt hij als hij zijn eigen band erin heeft gestopt, Roosmarijn kan komen. Wat mij betreft kunnen we beginnen.

Roosmarijn heeft er echt zin in. Ze hadden om twee uur afgesproken, maar om kwart voor twee staat ze al bij Sven voor de deur.

'Wil je iets drinken?' vraagt Sven.

'Nee,' zegt Roosmarijn. 'Ik vind het veel te spannend. Ik wil meteen beginnen, maar ik weet niet waar, hier op het tuinpad?'

'Nee, ik wil dat je naar buiten komt. Dat is veel mooier.' En Sven houdt de deur voor haar open.

Roosmarijn lacht verlegen. 'Het wordt ineens zo echt.'

Daar heeft Sven zelf ook last van. Als hij de camera op de voordeur richt, voelt hij een lichte trilling in zijn hand. Zodra de deur opengaat, gaat er een schok door hem heen. Zijn droom is uitgekomen. Hij mag haar filmen, het mooiste meisje van de wereld.

Van de zenuwen zet hij zijn camera te laat aan.

Roosmarijn doet het heel goed. Ze trekt met een dramatisch gezicht de deur achter zich dicht en kijkt daarna nog een keer achterom. Ze ziet er echt heel verdrietig uit.

'Geweldig!' Sven stopt met filmen. 'Je ziet meteen dat er iets ergs aan de hand is.'

'Dus het is zielig genoeg?' vraagt Roosmarijn.

Sven knikt. 'Hartstikke zielig. Ik kreeg bijna zin om je te troosten. We doen het nog een keer. Jij deed het goed, maar voor de zekerheid wil ik nog een opname.'

Ze willen net beginnen als er een jongen van een jaar of negen het tuinpad opkomt.

'Sven,' zegt hij. 'Je had beloofd dat je me zou helpen, weet je nog?'
'Pesten ze je weer?' vraagt Sven.
Het jongetje knikt half huilend. 'Ze wachten me op in het park.
Ik moet naar muziekles, maar ik durf er niet langs.'
Sven zucht. Een slechter moment had Pierre niet kunnen kiezen.
Hij is net aan het filmen. Hij kijkt naar Roosmarijn. 'Een groep-
je jongens van Pierres school pest hem steeds. Laatst hebben ze
zijn fiets verstopt. Het getreiter duurt nu al weken.'
'Belachelijk.' Roosmarijn wordt kwaad. 'Het is toch te gek dat je
niet eens naar muziekles durft? Daar kan ik niet tegen, hoor. Waar
zijn die pestkoppen? Ik grijp ze.'
'Ben jij vroeger wel eens gepest?' vraagt Sven.
'Ik had geluk met mijn grote broer,' zegt Roosmarijn. 'Julius ging
er altijd op af. Dan schrokken ze zich dood en was het meteen
afgelopen.'
'Ik heb jammer genoeg geen grote broer,' zegt Pierre.
'Jawel,' zegt Sven. 'Vandaag ben ik zogenaamd je grote broer.'
Even komt er een lachje op Pierres gezicht.
'We zeggen dat ik je grote broer ben, misschien helpt het, net als
bij Roosmarijn.'
'Het helpt zeker, want jij hebt niet alleen een grote broer, je hebt
ook een grote zus.' En Roosmarijn slaat een arm om Pierre heen.
'Hoe zullen we het aanpakken?' Sven kijkt Roosmarijn aan.
'Wij houden ons schuil bij het park,' zegt Roosmarijn. 'En als
Pierre aan komt fietsen en ze pesten hem, dan scheuren we ernaar-
toe.'
'Heel goed,' zegt Sven. 'Pierre, kom maar mee.'
'Mag ik bij jou achterop?' vraagt Roosmarijn.
Sven knikt.
'Stoppen, Pierre!' zegt Sven als ze bij het park zijn. 'Zie jij ze?'
Pierre gluurt het park in. 'Daar staan ze.' Met trillende vingers
wijst hij naar het bruggetje.
'Ga maar,' zegt Sven. 'Zodra ze je iets doen, komen we je helpen.'
Terwijl Pierre het park in fietst kijken Roosmarijn en Sven hem na.
'Hij is er bijna.' Sven houdt zijn fiets zo dat hij meteen kan weg-
rijden.

53

'Ze pakken hem!' Sven fietst al weg. Roosmarijn kan nog net achterop springen.

'Wat moeten jullie van ons broertje?' roepen ze kwaad.

'Eh... niks.' De jongens laten onmiddellijk Pierres fiets los.

'Met zijn allen tegen een, durven jullie wel? Stelletje lafaards,' zegt Roosmarijn.

De jongens halen hun schouders op.

'Nou hebben jullie niks te zeggen, hè?' zegt Sven.

'Jullie vinden het toch zo leuk om iemand van zijn fiets te sleuren? Ga je gang.' En Roosmarijn stapt op Svens fiets en rijdt langs het groepje. Maar de jongens doen niks.

'Toe dan, wat staan jullie daar nou?'

Sven moet in zichzelf lachen. Hij vindt het lekker stoer wat Roosmarijn doet.

Roosmarijn stapt van de fiets. 'Waarom doen jullie nou niks?'

'Jaja,' zegt een van de jongens. 'En als we iets doen, dan grijp je ons.'

'Aha,' zegt Roosmarijn. 'Dus daar zijn jullie bang voor. Dat snap ik, want ik ben beresterk.'

Sven knikt. 'Ik ben altijd heel aardig tegen haar, anders vloert ze me. Pas maar op voor haar.'

'Dat zou ik zeker doen,' zegt Roosmarijn. 'Ik ben heel gevaarlijk. Ik zal jullie nu met rust laten, maar als jullie Pierre nog één keer lastigvallen, grijp ik jullie.'

'Pierre, ga maar lekker naar muziekles,' zegt Sven.

De jongens zijn blij dat ze er goed af zijn gekomen en lopen gauw door.

'Dat hebben we even mooi geregeld samen, hè broer?' zegt Roosmarijn.

Sven steekt zijn duim op. Maar hij is blij dat Roosmarijn niet echt zijn zus is. Dan zou hij nooit verkering met haar kunnen nemen. En dat moet gebeuren! Zijn verliefde gevoel wordt elke seconde groter. Zoals ze dat nou weer aanpakte net, wat een kanjer!

'Lief van je dat je Pierre hebt geholpen,' zegt Sven.

'Ik deed het voor jou, voor mijn regisseur doe ik alles.' Roosmarijn raakt even Svens hand aan. Ze krijgt meteen spijt. Wat zal

Sven wel denken. Als ze ziet dat hij bloost, wordt ze verlegen.
'Mag ik terug fietsen?' vraagt ze gauw.
'Ik weet het niet,' zegt Sven. 'Ik weet niet of ik wel achterop durf bij zo'n gevaarlijke meid.'
En dan rijden ze lachend naar huis.

'Het lukt me gewoon niet,' zegt Roosmarijn als Sven haar voor de zoveelste keer dezelfde scène laat overdoen. 'Ik wil even pauze, hoor.'
'Natuurlijk.' Sven weet alleen niet zo gauw waar ze heen moeten. Hij wil Roosmarijn niet mee naar binnen nemen. Lennart is thuis. Als hij erachter komt dat Sven de camera uit zijn vaders la heeft gehaald verraadt hij hem.
Roosmarijn vindt het heel vanzelfsprekend dat ze naar Svens huis gaan. Ze staat al bij het hek.
Nu kan Sven er niet meer onderuit. 'Weet je,' zegt hij, 'vertel maar niet tegen mijn broer dat we aan het filmen zijn. Dat gaat hem niks aan.'
Roosmarijn vindt het prima.
Sven doet de voordeur open en gaat naar binnen. 'Cola?' vraagt hij. Met de twee glazen cola in zijn hand loopt hij de kamer in.
'Dit is mijn broer Lennart en dit is Roosmarijn.'
'Hoi. Jullie lijken helemaal niet op elkaar,' zegt Roosmarijn.
'Nee,' zegt Sven. 'Dat zegt iedereen. Toch zijn we broers.'
'Zijn jullie even oud?' vraagt Roosmarijn.
'Nee,' zegt Sven. 'Lennart is precies elf maanden jonger.'
Ze zitten nog maar net in de kamer als de telefoon gaat. Sven neemt hem op, want Lennart ziet er niet naar uit dat hij van plan is op te staan.
'Hoi Sven, met mij.' Zijn moeder klinkt gehaast. 'Papa's schoenen staan nog bij de schoenmaker. Ze moeten voor drieën gehaald. Hij heeft ze morgen nodig.'
'Kan Lennart dat niet doen,' zegt Sven. 'Ik ben bezig.'
'Nee,' zegt zijn moeder. 'Lennart moet vanmiddag zwemmen. Die selectie is veel te belangrijk. Laat hem maar rustig zitten.'
'Oké.' Sven legt de hoorn neer. 'Ik moet even naar de schoenma-

ker,' zegt hij. Zijn broer hoeft hij het niet te vragen. Dan staat hij alleen maar voor gek, want Lennart doet het toch niet.

'Zal ik meegaan?' Roosmarijn vindt het wel gezellig.

'Nee, hoor,' zegt Sven. 'Drink jij je cola maar op, ik ben zo terug.' Roosmarijn kijkt naar Lennart. 'Zit jij niet bij ons op school?'

'Nee,' zegt Lennart. 'Ik zit op De Bakel. Daar heb je tenminste niet zoveel huiswerk. Ik heb geen tijd voor huiswerk. Ik zwem namelijk. Ik moet drie uur per dag trainen en soms vier uur.'

'Ben je goed?' vraagt Roosmarijn.

'Ik mag waarschijnlijk meedoen aan de jeugdkampioenschappen,' zegt Lennart. 'Deze week zijn de voorselecties.'

'Spannend,' zegt Roosmarijn. 'Hoe werkt zo'n voorselectie?' Lennart heeft al heel vaak uitgelegd hoe zo'n selectie werkt, maar nu doet hij ineens of dat veel te moeilijk is. 'Als ik het vertel snap je er toch niks van. Weet je wat, we zwemmen vanmiddag en morgen hier in De Kom, om vijf uur. Je kunt komen kijken, dan kun je zien hoe het gaat. Ik zou het wel gezellig vinden.'

Roosmarijn voelt zich gevleid. Ze vindt het fijn dat Svens broer haar aardig vindt. 'Leuk, misschien kom ik wel een keer met Sven mee.'

Dat is duidelijk niet Lennarts bedoeling. Even lijkt hij uit het veld geslagen, maar aan de blik in zijn ogen te zien heeft hij alweer een oplossing.

'Sven heeft het veel te druk om naar het zwembad te gaan, dat weet jij toch ook wel?'

'Ja, met...' onze film wil Roosmarijn zeggen, maar ze bedenkt net op tijd dat Lennart het niet mag weten. 'Met, eh... met zijn huiswerk. We moeten overal werkstukken voor maken. Ik schrijf me rot.'

'Ja.' Lennart lacht geheimzinnig. 'Sven zit ook veel te schrijven, bladen vol, maar niet aan zijn werkstukken. Dat heeft hij je vast wel verteld.'

'Ja, eh... ik weet niet.' Roosmarijn voelt zich niet op haar gemak. Lennart zal wel op Svens scenario's doelen, maar dat gaat zij niet zeggen.

'Komt de naam Miranda je bekend voor?' vraagt Lennart. Als

Roosmarijn haar hoofd schudt, zegt hij: 'Oh, dan weet je het niet. Ander onderwerp.'

Miranda...? Wat bedoelt Lennart? Roosmarijn moet het weten. 'Je maakt me wel nieuwsgierig.'

'Sorry,' zegt Lennart. 'Het is stom van me. Ik had mijn mond moeten houden. Ik heb geen zin in ruzie met Sven, zie je.'

'En als ik het nou niet aan hem vertel?'

Lennart denkt na. 'Oké, waarom ook niet. Zo belangrijk is het nu ook weer niet. Sven heeft een vriendin en ze heet Miranda. Hij heeft haar tijdens de vakantie leren kennen. Ze woont in Limburg.'

Heeft Sven verkering...?

Lennart kijkt afwachtend naar Roosmarijn.

'Hartstikke leuk dat je naar me komt kijken,' zegt hij als hij de teleurstelling op Roosmarijns gezicht ziet. 'Wedden dat ik dan nog beter ga zwemmen?'

Roosmarijn schrikt. Heeft ze echt gezegd dat ze kwam? Ze wil Lennart vertellen dat ze het nog niet zeker weet, als Sven binnenkomt. Ze springt meteen op. 'Ik, eh... ik zie net dat het al kwart over drie is. Ik moet weg.'

Ineens vindt ze het lang zo leuk niet meer om in Svens film te spelen.

8

Dat gaat goed! Als Sven 's morgens zijn agenda opendoet, ziet hij
ineens dat hij een SO Nederlands heeft. Hij heeft er niks aan
gedaan. Dat is lekker stom, want zo goed is hij niet in woord
benoemen. Het is niks voor hem om zo slordig te zijn. Hij is de
laatste tijd ook alleen maar met Roosmarijn bezig. Sven kijkt zijn
schrift door. Dat krijgt hij nooit in een kwartiertje in zijn hoofd.
Misschien moet hij maar het eerste uur spijbelen om zijn so te
leren. Ze hebben toch aardrijkskunde. Daar leer je nou echt
niks. Vleming praat alleen over zichzelf. Zijn vrouw heeft net een
baby gekregen en alle klassen krijgen elk detail te horen. Als
hij niet komt, zal Vleming hem niet eens missen. Sven legt zijn
schrift vast open, zodat hij straks meteen kan beginnen. Eerst wil
hij ontbijten.
'Goeiemorgen,' zegt Sven als hij beneden komt.
Zijn moeder kijkt als enige op. Sven gaat aan de ontbijttafel zitten. Zijn vader houdt een preek tegen Lennart. De laatste tijd
voelt Sven zich steeds vaker een buitenstaander. Misschien ligt het
ook aan hemzelf en moet hij wat beter zijn best doen om mee te
praten. Sven luistert waar het over gaat.
'Je kunt er nou wel geen zin in hebben,' zegt vader. 'Maar we doen
het toch. Ik heb je al opgegeven voor die training.'
'Wat voor training ga je doen?' vraagt Sven.
Vader en Lennart praten gewoon door.
'Een heel speciale training in Duitsland,' legt zijn moeder uit. 'Het
is peperduur, maar je krijgt er wel wat voor. Hij wordt gegeven
door een bekende trainer. Ik ben even zijn naam vergeten. Lennart
heeft echt geluk dat papa dat geld ervoor overheeft en de tijd na-
tuurlijk. Het kost ons een heel weekend.'
'Wanneer precies?' vraagt Sven.
Zijn moeder gebaart dat hij er niet steeds doorheen moet praten.
'Nee Lennart, die klassenavond zeg je ook maar af,' zegt vader.
'We gaan de avond ervoor al weg. Het is minstens vier uur rijden

en we moeten 's morgens om negen uur al in het zwembad zijn. Ik heb geen zin om midden in de nacht te vertrekken. Dus geef het maar door aan je mentor, we vertrekken de vijfde.'
Sven schrikt. De vijfde? Hoe kan dat nou? Hij is de zesde jarig. Zouden zijn ouders dat zijn vergeten?
'De zesde ben ik jarig,' zegt hij.
Zijn moeder pakt sussend zijn hand. 'We vieren het wel een andere keer,' zegt ze zachtjes. Zijn vader gaat er niet op in.
Sven heeft helemaal geen zin om zijn verjaardag in Duitsland te vieren. Dan kan er niemand komen. Waarom bespreken zijn ouders dat niet eerst met hem? Hij wist van niks.
'Ik wil op mijn verjaardag niet in een zwembad zitten.' Sven zegt het zo hard dat zijn vader hem wel moet horen.
Hij kijkt voor het eerst Svens kant op. 'Jij gaat ook niet naar Duitsland. Er gaan nog twee mensen van de zwembond mee. De auto is vol. Of je moet op het dak willen zitten.'
Hoort hij dat goed? Sven kan zijn oren niet geloven. Dus zijn ouders zijn er niet als hij jarig is. Dan kunnen ze hem niet eens feliciteren!
Svens moeder merkt dat hij het niet leuk vindt. 'Het is inderdaad niet zo gezellig, maar het komt goed.'
Alsof het de gewoonste zaak van de wereld is dat Svens verjaardag wordt overgeslagen, kijkt zijn vader hem aan. 'Weet je wat die training van je broer me gaat kosten?'
Sven luistert niet eens. Verdrietig staart hij naar zijn bord.
'Zoveel?' hoort hij Lennart zeggen.
In zijn gedachten ziet Sven zichzelf wakker worden op zijn verjaardag. Niemand die hem feliciteert. Niet eens een cadeautje. En dat vinden zijn ouders normaal? Hij vraagt zich af wat hij nog voor hen betekent. Helemaal niks. Hij bestaat niet eens voor hen. Het gaat hun alleen om Lennart. Als Lennart jarig was, zouden ze nooit weggaan, dat weet hij zeker.
Het gesprek tussen Lennart en zijn vader gaat gewoon door. 'Dus ik verwacht van je dat je je niet voor honderd, maar voor duizend procent inzet.'
'Ja pap,' antwoordt Lennart.

'Ik wist wel dat ik op je kon rekenen.' Zijn vader slaat een arm om Lennart heen. 'Als ik jou niet had, jongen.'
Nu kan Sven er niet meer tegen. Hij staat op en loopt de kamer uit. Hij maakt niet eens brood om mee naar school te nemen. Hij gaat naar zijn kamer en slaat zijn schrift open. Een tijdje later doet hij het dicht. Het heeft geen zin. Hij kan zich toch niet concentreren. Hij kan net zo goed naar aardrijkskunde gaan. Hij ziet zichzelf de hele tijd voor zich, op zijn verjaardag, helemaal alleen.

Op weg naar school heeft Bart het aan een stuk door over Lotte en Dieke. Het gaat een beetje langs Sven heen. Hij denkt aan het gesprek van vanochtend. Eerst was hij verdrietig, maar nu wordt hij steeds kwader. Als zijn vader denkt dat hij zijn verjaardag voor hem kan verpesten, heeft hij het mis. Zijn ouders moeten toch zo nodig dat weekend weg? Nou, dan hoepelen ze maar op. Hij viert het wel met zijn vrienden. Maar niet thuis. Zijn vrienden mogen niet weten dat zijn ouders hem op zijn verjaardag laten stikken. Hij verzint wel iets.
Nog half in gedachten zet Sven zijn fiets op school in het rek. Bart stoot hem aan. 'Daar heb je Hakim en Arnout. Nou krijgen we wat te horen, hoor! Als we ons lachen maar kunnen houden.'
Daar is Sven niet bang voor, zo vrolijk voelt hij zich niet.
Hakim en Arnout gaan voor hen staan. 'En? Hoe denken jullie dat het eruit zal zien?'
'Wat bedoel je?'
'Twee knappe meiden naast ons.'
'Sorry,' zegt Bart. 'Maar daar is wel erg veel fantasie voor nodig.'
'Oh, we zijn jaloers,' zegt Arnout. 'Hoor je dat, Hakim? Nu hebben ze spijt dat ze niet mee wilden doen met chatten.'
Hakim knikt. 'Zullen we ze de verrassing vertellen?'
'Wat voor verrassing?' Bart en Sven zijn benieuwd wat er nu komt.
'Onze prinsessen kennen nog twee meiden. Helemaal wat voor jullie. Ze vangen zielige dieren op. Ze zoeken nog twee dakloze gorilla's. Als ze jullie zien, gaan ze gegarandeerd plat. Wedden dat jullie zo in een lekker warm hok zitten? Niet gek, toch?'

'Jullie worden wel heel brutaal, hè?' zegt Bart. Maar Hakim en Arnout zijn al weg.

Sven moet nu toch wel lachen. Hij voelt zich alweer wat beter. En als hij Roosmarijn ziet aankomen, is zijn sombere bui helemaal over. Het ergert hem dat hij verlegen wordt. Daar is nu toch geen reden meer voor. Hij neemt zich voor direct naar haar toe te gaan als ze haar fiets heeft weggezet. Zij kwam gisteren ook naar hem toe. Het is natuurlijk niet de bedoeling dat zij steeds het initiatief moet nemen. Daar krijgt ze zo genoeg van. Hij voelt zijn hart sneller kloppen als hij naar haar toe loopt. Wat is hij toch een angsthaas. Het liefst zou hij zo teruggaan naar zijn vrienden. Waarom vindt hij het nou zo eng? Ze hebben gisteren veel plezier gehad. Het leek alsof ze elkaar al heel goed kenden. Dat heeft hij nog nooit met een meisje gehad, het klikte gewoon. En even dacht hij te merken dat ze hem ook meer dan leuk vond. Een, twee, drie, hup... die kant op, spoort hij zichzelf aan. Hij heeft nog een smoes ook. Roosmarijn had gisteren ineens zo'n haast dat ze helemaal vergeten hebben een nieuwe afspraak te maken. Vandaag zie je er wel heel mooi uit, denkt Sven. Hij heeft Roosmarijn nooit eerder in een rokje gezien. Het staat haar prachtig.

'Hoi,' zegt hij als hij vlakbij is. 'Uitgerust?'

'Ja hoor,' zegt Roosmarijn onverschillig.

'Het, eh... het ging goed gisteren, hè?'

'Vond je?' Roosmarijn slaat haar ogen neer.

'Ik, eh... ik heb gisteren een stukje bekeken, en het zag er goed uit.'

'Oh, fijn.'

Sven weet niet zo gauw wat hij moet zeggen. Gisteren was Roosmarijn veel spontaner. Ach, denkt hij. Ik moet niet zo zeuren. Misschien heeft ze gewoon een rotbui. Hij zal haar niet langer lastigvallen. 'We moeten nog een afspraak maken,' zegt hij.

'Oh, dat hoor ik dan nog wel.' Roosmarijn trekt Halima mee en loopt weg.

Sven kijkt haar verbaasd na. Wat zou er met haar zijn?

'Ik heb goed nieuws!' In de pauze komt Susan naar Roosmarijn toe. 'Jij wilde toch zo graag in de feestcommissie? Je hebt geluk, er komt een plekje vrij. Astrid van Lanen is eruit gestapt. Ik heb het meteen besproken. Iedereen vindt het prima dat jij haar plek inneemt.'

Roosmarijn schrikt. Het is heel aardig van Susan. Ze wilde ook altijd in de feestcommissie, maar nu niet meer. Ze moet er niet aan denken, Bob zit er ook in.

'Bob weet er al van,' zegt Susan. 'Hij zal je wel een keer bij zich roepen om alles door te praten.'

Help! Dat is nu wel het laatste waar Roosmarijn op zit te wachten, een onderonsje met Bob. 'Ik, eh... ik wil niet meer in de feestcommissie,' zegt ze gauw. 'Ik heb er geen tijd voor.'

'En daar kom je nou mee aan?' zegt Susan. 'Dat had je toch wel eerder kunnen zeggen?'

'Sorry,' zegt Roosmarijn. 'Ik ben stom geweest. Het is hartstikke tof van je, maar...'

'Hier word ik dus niet goed van,' zegt Susan. 'Je zegt zelf maar tegen Bob dat je niet meer wilt. Daar staat hij, zal ik hem even halen?'

'Nee!' Roosmarijn verbleekt. 'Ik, eh... ik zeg het wel een andere keer.'

Susan haalt haar schouders op. 'Bekijk het maar.' En ze loopt weg.

'Susan!' roept Roosmarijn. 'Ik vind het heel aardig van je.'

'Ja, het is al goed.' En Susan loopt door.

Roosmarijn is meteen in paniek. 'Wat moet ik nou?' zegt ze tegen Halima. 'Ik ga echt niet naar hem toe. Ik pieker er niet over.'

'Dat hoeft ook niet,' zegt Halima. 'Je wacht tot de les. Morgen hebben we wiskunde. En dan zeg je het af, makkelijk zat.'

'Makkelijk zat?' Roosmarijn moet er niet aan denken dat ze morgen wiskunde heeft. Ze weet nu al dat ze vannacht geen oog dicht zal doen.

Halima ziet wel dat Roosmarijn in de war is. 'Nu stoppen, Roos,' zegt ze streng. 'Zet die vent uit je hoofd. Denk maar aan iets leuks, aan... aan Sven.'

'Aan Sven? Ja, daar word ik echt vrolijk van.'

Halima merkt zelf ook dat ze iets doms heeft gezegd. 'Sorry, ik was even vergeten dat hij een vriendin heeft. Je bent echt verliefd op hem, hè?'

'Ja,' zegt Roosmarijn. 'Stom genoeg wel. Wat een domper dat hij verkering heeft. Eerlijk gezegd heb ik er niks van gemerkt.'

'Hoe bedoel je? Heeft hij je proberen te zoenen?'

'Nee,' zegt Roosmarijn. 'Maar hoe hij deed. Ach, het doet er ook niet toe. Ik moet erover ophouden. We maken die film gewoon samen af. Het wordt vast wel leuk.'

'Je mag blij zijn dat die Lennart zich heeft versproken,' zegt Halima. 'Anders was je steeds verliefder geworden. Dan is het helemaal een tegenvaller als je er ineens achter komt dat hij al bezet is.'

'Weet je wat ook zo oenig van me is?' zegt Roosmarijn. 'Ik heb Lennart beloofd te komen kijken. Hij rekent er eigenlijk op.'

'Dat is helemaal niet oenig,' zegt Halima. 'Dat is heel goed.'

'Waar heb je het nou over? Ik bedoelde met zijn tweeën, ik ga daar toch niet alleen zitten?'

'Je zit er ook met zijn tweeën,' zegt Halima.

Roosmarijn kijkt haar vriendin aan. Denkt ze nou echt dat Sven haar mee zal vragen?

'Ik ga mee,' zegt Halima. 'Die Lennart vindt jou toch leuk? Misschien heeft hij nog een gave vriend.'

'Wat zie jij nou weer voor je?' vraagt Roosmarijn.

Halima doet haar ogen dicht. 'Ik zie een heel mooie jongen voor me in een sexy zwembroek. Hij glijdt met zijn gespierde lijf door het water en ineens... ziet hij mij. Hij klimt met zijn stoere benen op de kant, tilt mij met zijn stevige armen van de tribune en kust me innig...'

'Ja,' vult Roosmarijn aan. 'En dan zakt hij door zijn slappe harige pootjes en lig jij met kleren en al in het water. Heel romantisch. Je snapt, dat ik dat per se wil zien.'

'Dus we doen het!'

Roosmarijn aarzelt. 'Als Lennart maar niet denkt dat ik verliefd op hem ben.'

'Doe niet zo serieus,' zegt Halima. 'We mogen toch wel lol maken.'

'Is het niet raar tegenover Sven?'

'Maak je niet zo druk. Jullie hebben toch niks met elkaar gehad? Jullie maken een film, dan mag je toch wel met zijn broer omgaan?'

'Het is wel geinig,' zegt Roosmarijn.

'We doen het,' zegt Halima. 'Waar zwemt hij?'

'In De Kom, om vijf uur.'

Halima slaat een arm om haar vriendin heen. 'Het gaat door! Eindelijk weer eens iets mafs. Zulke dingen deden we vorig jaar altijd.'

'Dat is zo.' Roosmarijn is weer vrolijk. 'Maar Sven...'

'Ssst...' Halima legt een hand op haar mond. 'Je mag de hele ochtend niet meer over Sven praten, beloofd?'

Roosmarijn steekt twee vingers in de lucht. Maar als ze door de gang loopt en Sven de trap afkomt, kan ze zich niet inhouden. 'Hij is wel leuk, hè?' Ze doet gauw haar hand voor haar mond.

'Over wie heb jij het? Twee strafpunten,' zegt Halima.

'En wat betekent dat?' Roosmarijn kijkt haar vriendin aan.

'Als je er drie hebt, dan... dan moet je bij wiskunde weer aan de buitenkant zitten.'

'Oh, dat is pas echt vals.' Roosmarijn pakt haar etui uit haar tas en gooit dat naar Halima's hoofd.

Roosmarijn vindt het maar ongezellig dat Halima eerst naar bijles moet. Anders hadden ze lekker samen naar het zwembad kunnen fietsen. Nu hebben ze bij De Kom afgesproken. Onderweg begint ze toch weer te twijfelen. Is het niet een beetje raar wat ze gaan doen? Het is de schuld van Halima, anders zou ze nooit zijn gegaan.

Bij het zwembad zet Roosmarijn haar fiets neer. Ze is wel erg vroeg. Is dat haar GSM? Ze luistert. Ja, het geluid komt uit haar binnenzak. Ze haalt haar mobieltje eruit. Roosmarijn kijkt naar het nummer, maar het is geen bekende. 'Met Roosmarijn.'

'Hoi Roos, met Halima.'

'Waar bel jij nou vandaan?'

'Ik zit hier op bijles. Ik had me vergist. We zouden dit keer twee uur werken. Dus ik kan niet komen.'

'Had je dat niet eerder kunnen zeggen? Ik sta hier nu al bij De Kom.'

'Ik wist het niet eerder,' zegt Halima. 'Sorry. Anders ga je nu naar huis en gaan we morgen samen, goed? Ik moet nu ophangen.'

Roosmarijn bergt verontwaardigd haar GSM op. Maar dan kalmeert ze. Zo erg is het nu ook weer niet, dan komt het morgen wel. Want ze peinst er niet over alleen te gaan. Ze wil net haar fietssleutel in het slot steken als ze haar naam hoort. 'Roosmarijn!' Als ze opkijkt, ziet ze Lennart uit de auto stappen. Hij komt meteen naar haar toe. 'Wat leuk dat je bent gekomen.' 'Lennart!' klinkt het streng. 'Dat is mijn vader,' zegt Lennart. 'Kom maar mee, dan kun je bij mijn ouders op de tribune zitten, die hebben een riante plek.' Voordat Roosmarijn het in de gaten heeft, staat ze al in de hal van het zwembad. De vader van Lennart geeft haar een hand. 'Dat is een leuke verrassing. Hier heeft Lennart me niks van verteld. Maar dat geeft niet, hoor. Zijn vader hoeft niet alles te weten. Kom meid, we gaan vast zitten. Dit is ons plaatsje. Aan mij zul je niet veel gezelligheid beleven, want ik moet mijn zoon filmen. We maken een uitgebreide reportage van de selectie. Heel leerzaam voor hem. Dan kunnen we samen de zwakke momenten nog eens goed terughalen.' Lennarts vader pakt zijn camera en neemt een plek in.

'Dat is gezellig, ik hoor net van mijn man dat je voor Lennart komt. Ik ben zijn moeder.' Mevrouw Feije gaat naast Roosmarijn zitten. 'Daar heb je hem!'

Er is een groepje jongens uit de douchecabine gekomen. Roosmarijn ziet dat Lennarts vader zijn zoon wenkt.

'Ja, de laatste instructies, kind.' Mevrouw Feije schuift zenuwachtig heen en weer. 'Je kunt eigenlijk wel zeggen dat mijn man zijn belangrijkste coach is. Zonder hem had Lennart dit nooit bereikt.'

Roosmarijn vraagt zich af hoe lang Lennart al zwemt. Op het moment dat ze het wil vragen, pakt Lennarts moeder haar arm. 'Het gaat beginnen!'

De spanning op de tribune stijgt. De namen van de zwemmers worden afgeroepen. Roosmarijn kijkt naar een zwarte jongen die naast Lennart in de starthouding staat. Hij ziet er al net zo fanatiek uit als Lennart.

Zodra het startschot wordt gegeven, duikt hij tegelijk met Lennart het water in. De twee jongens doen niet voor elkaar onder. Met krachtige slagen schieten ze vooruit. Als Roosmarijn aan Halima's fantasie van die ochtend denkt, moet ze bijna lachen. Dat bestaat dus alleen in een droom. Je hoeft echt niet te denken dat de jongens je zien zitten op de tribune. Al zou je naakt voor ze in het water liggen, dan nog zouden ze langs je heen zwemmen. Ze hebben maar één doel: winnen.

Als Lennart klaar is met zwemmen, komt zijn vader bij hen zitten. 'Onze jongen gaat het helemaal maken.' Hij kijkt naar Roosmarijn. 'Het is een zwaar leven, hoor. Het is leuk voor hem dat hij een vriendin heeft. Hij kan wel wat steun gebruiken.'

Het valt Roosmarijn op dat Lennarts ouders geen enkele aandacht voor de andere zwemmers hebben. Pas als Lennart opnieuw aan de beurt is kijken ze weer. En hoe! Lennarts vader moedigt zijn zoon voortdurend aan. Dat doet geen van de andere ouders. In het begin vindt Roosmarijn het wel leuk om Lennart te zien zwemmen, maar na een tijdje begint het saai te worden. Ze vraagt zich af hoe lang het nog duurt, want ze durft niet halverwege op te krassen. Ineens hoort ze het wijsje van haar mobieltje. Ze ziet meteen dat het Halima is. 'Waar ben je?' vraagt Halima.

'In het zwembad.'

'Nee!' roept Halima en ze begint keihard te lachen. 'Zit er nog iets moois voor mij tussen?'

Echt Halima. Dat kan ze nu toch niet zeggen met die ouders erbij?

'Ja, het is spannend,' zegt Roosmarijn. 'Ik zit hier bij de ouders van Lennart.'

Nu moet Halima nog harder lachen. 'Roosje, waar ben je nu weer in verzeild geraakt?'

'Je hoort het nog wel.' En Roosmarijn zet de telefoon uit.

Eindelijk mogen de jongens het water uitkomen. De trainer maakt de uitslag bekend. Roosmarijn kan het niet goed verstaan, maar aan Lennarts vader te zien is Lennart erdoorheen. Hij begint te juichen, valt zijn vrouw om de hals en geeft zelfs Roosmarijn een zoen.

'Hoe vond je het?' vraagt Lennart als hij zich heeft aangekleed.

'Spannend,' zegt Roosmarijn. 'En jij bent echt supersnel.'
Lennart lacht trots. 'Alsjeblieft.' Hij drukt haar een papiertje en
een pen in de hand. 'Schrijf hier je telefoonnummer maar op.'
Het overvalt Roosmarijn, maar ze schrijft het toch op.
'Bedankt,' zegt Lennart. 'Dan kan ik je een keer bellen.'
'Leuk,' zegt Roosmarijn.
Pas als ze op de fiets zit, beseft ze wat ze heeft gedaan.

Sven zit boven op zijn kamer te leren. Echt goed gaat het niet. Hij
moet steeds aan Roosmarijn denken. Het zit hem helemaal niet
lekker hoe ze deed. Zo onverschillig. En het leek alsof ze hem ont-
week. Hij vraagt zich af wat er met haar kan zijn. Toen hij een
nieuwe afspraak met haar maakte deed ze ook niet bepaald
enthousiast. Alsof het haar niet zoveel meer uitmaakte. Misschien
had ze het zich wel heel anders voorgesteld. Iets romantisch, maar
filmen is natuurlijk ook hard werken, anders wordt het niks. Hij
had misschien wat vaker pauze moeten inlassen. Sven slaat met
zijn hand tegen zijn voorhoofd. Dat hij daar niet eerder aan
gedacht heeft! Hij gaat juist een film met haar maken om haar te
versieren en dan neemt hij daar de tijd niet voor. Alsof ze een
datum hebben dat het af moet zijn. Overmorgen gaat hij het heel
anders aanpakken. Hij moet zich niet zo druk maken, al lijkt het
nergens naar. Als ze maar plezier hebben.
'Sven, het eten staat op tafel!' klinkt het onder aan de trap.
Het verbaast Sven dat ze hem nog roepen en niet met zijn drietjes
gaan eten en gewoon iets voor hem in de pan laten zitten. Met
tegenzin gaat hij de trap af. Na vanochtend heeft hij zijn ouders niet
meer gezien. Hij heeft niet echt zin om bij hen aan tafel te zitten.
'Lekker, pizza,' zegt Sven.
'Lennart mocht kiezen,' zegt zijn moeder. 'Die jongen heeft vandaag zoveel gepresteerd.'
'Onze Len kan alles,' zegt zijn vader. 'Er zat ook een leuk meisje
voor hem op de tribune.'
Sven kijkt verbaasd op. Hij wist niet dat Lennart verliefd was.
'Ja!' Zijn vader lacht. 'Niet zomaar een meisje, hoor. Ze heeft wat
je noemt klasse. Zo zie je ze niet vaak.'

Wacht maar af, denkt Sven, tot jullie Roosmarijn te zien krijgen. Wat zullen zijn ouders opkijken. Hij voelt zich trots worden bij de gedachte.

9

Sven zet de televisie aan. Hij zit net in het verhaal als zijn broer begint te zappen.

'Hé, ik zit ergens naar te kijken, hoor,' zegt Sven.

'Nu kijk ik ergens naar,' antwoordt Lennart doodleuk.

'Goed, hoor.' Sven heeft geen zin om ruzie te maken. Zijn vader is thuis en die geeft Lennart natuurlijk gelijk. 'Laat ook maar, ik moet toch naar school.'

'Doe de groeten aan die meid die achter je kont aanloopt,' roept Lennart.

Sven draait zich om. 'Heb je het over Roosmarijn?'

'Weet ik veel hoe ze heet.'

Eigenlijk moet Sven er niet op ingaan, maar hij doet het toch.

'Roosmarijn loopt helemaal niet achter mijn kont aan.'

Lennart begint te lachen. 'Ze zei anders wel dat ze verliefd op je was.'

'Heel grappig.' Sven vindt het echt weer iets voor Lennart.

'Nou, dan geloof je me niet. Je vindt haar toch niks, dus dan maakt het ook niet uit.'

Sven kan het niet nalaten te reageren. 'Ik vind haar toevallig wel leuk.'

'Je gaat me toch niet vertellen dat je verliefd bent, hè? Als dat zo is, mag je wel een bord om je nek hangen: Ik ben verliefd.'

'Waarom, het is toch niet nodig dat iedereen dat weet?'

'Nee, niet iedereen,' zegt Lennart. 'Maar als die Roosmarijn er ook niks van merkt, schiet het niet echt op. Ze denkt dat je haar niet moet.'

'Zei ze dat?'

Lennart knikt.

'Lekker stom van me,' zegt Sven.

'Nou en.' Lennart haalt onverschillig zijn schouders op. 'Volgende keer beter.'

'Hoezo: volgende keer beter?' vraagt Sven. 'Als ik er nu werk van maak, dan is het toch goed?'

'Ik hoop het voor je. Je weet hoe die meiden zijn, ze hebben zo een ander.' En Lennart loopt de kamer uit.

Sven staart stomverbaasd naar de deur. Hij wist niet dat Roosmarijn met Lennart had gepraat. Ze is dus ook verliefd op hem. En hij heeft niks in de gaten. Nu snapt hij ook waarom ze hem opeens ontwijkt. Door zijn sukkelige gedrag voelt ze zich afgewezen. Dit is toch wel de grootste misser die hij ooit heeft gemaakt. En hij dacht steeds dat ze hem niks vond. Ze zijn allebei verliefd op elkaar. Zijn droom is uitgekomen! Van blijdschap maakt hij een sprong in de lucht. Het gaat fantastisch worden. Hij wacht geen dag langer, dit wordt vandaag nog aangepakt. Roosmarijn wil merken wat hij voor haar voelt. Nou, dat kan! Laat Bart dit maar niet horen. Die blijft hem ermee pesten tot ze in het bejaardenhuis zitten. Nee, Bart krijgt vandaag iets heel anders te horen. Dat hij verkering met Roosmarijn heeft.

Roosmarijn is later uit bed dan anders. Ze is bang om naar wiskunde te gaan. Gisteravond kreeg ze al buikpijn. Ze is expres een spannende film gaan kijken, maar het hielp niet. De angst voor Bob kwam er telkens doorheen. Vannacht heeft ze er niet van geslapen. En nu ze bijna naar school moet, voelt ze zich misselijk. Ze snapt zelf ook wel dat het zo niet kan doorgaan. Sinds dat gedoe met Bob is ze al een paar kilo afgevallen. Ze neemt zich voor het met haar ouders te bespreken, maar als ze beneden komt, merkt ze dat het geen enkele zin heeft. De problemen in hun bedrijf zijn alleen maar erger geworden. Het is nog niet eens acht uur en haar vader hangt al aan de telefoon met zijn advocaat.

Zodra hij zijn werkkamer uitkomt, stuift Roosmarijns moeder op hem af. 'En?'

'Als we om negen uur bij hem zijn, heeft hij nog tijd voor ons.' Roosmarijns vader heeft zijn jas al aan.

'Dan gaan we nu meteen weg.' Moeder kijkt Roosmarijn gehaast aan. 'Er staat thee voor je. Sluit je goed af? We bellen nog.' Roosmarijn krijgt een vluchtige kus en weg zijn ze.

Zuchtend gaat ze aan tafel zitten. Zal ze thuisblijven? Er is toch niemand. Voor de zoveelste keer ziet ze zichzelf in het wiskunde-lokaal en dan weet ze het zeker. Ze gaat niet naar school. Net op dat moment gaat de telefoon.

'Je spreekt met mevrouw De Waal van de onderwijsinspectie. Ik wil even checken of jij vandaag naar school gaat.'

De onderwijsinspectie? Roosmarijn verslikt zich bijna. Ze was net van plan thuis te blijven.

'Ik, eh... ja, natuurlijk ga ik naar school,' zegt ze.

'Haha, dat wou ik even weten.' Halima lacht in haar oor.

'Ben jij het? Weet je dat ik er echt in trapte? Ik schrok me dood. Ik was juist van plan te spijbelen.'

'Ja, dat dacht ik al,' zegt Halima. 'Maar dat gaat mooi niet door. Je hoeft niet bang voor Bob te zijn, we hebben toch afgesproken dat jij bij het raam gaat zitten?'

Roosmarijn denkt na. Halima heeft gelijk. Nu ze niet meer aan het gangpad zit, kan haar eigenlijk niks gebeuren. 'Oké, ik kom eraan.'

Een paar minuten later fietst Roosmarijn naar school. Ze rijdt de winkelstraat in en ziet niet dat Lennart achter een auto vandaan komt en haar achternagaat.

'Hé, Roosmarijn.' Hij gaat naast haar fietsen.

Roosmarijn kijkt verbaasd op. 'Ik wist niet dat jij ook zo reed.'

'Ik neem deze weg altijd, maar meestal ben ik al op school als jij hier rijdt. Vandaag ben ik een beetje later. Nou, een beetje?' Len-nart kijkt op zijn horloge. 'Behoorlijk later dus.'

'Je hebt zeker te lang in het zwembad gelegen,' zegt Roosmarijn.

'Nee,' zegt Lennart. 'Een meningsverschil met Sven.'

'Waarover?' vraagt Roosmarijn.

'Ach niks,' zegt Lennart. 'Je zult het wel merken.'

'Waarom ik?' vraagt Roosmarijn.

'Omdat het over jou ging,' zegt Lennart. 'Sven en ik zijn gewoon anders. Nou ja, laat maar.'

Maar Roosmarijn wil het weten. 'Waar denken jullie dan zo an-ders over? Over zwemmen?'

'Vooral over meisjes,' zegt Lennart. 'Ik vind gewoon dat je een

71

meisje alleen moet versieren als je haar echt leuk vindt en niet voor de kick.'

'En vindt Sven dat dan niet?' vraagt Roosmarijn.

'Laat maar zitten, het is niet belangrijk wat Sven vindt. Ik moet hier trouwens in. Ik bel je nog, hè?' En Lennart slaat rechtsaf.

Roosmarijn denkt over de woorden van Lennart na. Ze hadden dus ruzie over haar. Zou Sven haar voor de kick proberen te versieren? Bedoelt Lennart dat soms? Tot nu toe heeft ze daar nog niet echt iets van gemerkt. Toen ze samen filmden, was hij wel heel aardig, maar om nu te zeggen dat hij haar versierde? Hij keek gewoon lief naar haar, dat mag toch? Als hij gewild had, had hij makkelijk iets kunnen beginnen. Ze waren de hele middag met zijn tweetjes. Toch klopt er iets niet. Waarom heeft hij haar eigenlijk niet verteld dat hij verkering heeft? Maar dan bedenkt ze dat ze niet moet zeuren. Dat zou ze zelf ook niet gedaan hebben, ze kennen elkaar amper. Maar het laat haar niet los.

Halima moet lachen als ze over het meningsverschil van de jongens hoort. 'Je kunt wel merken dat jouw broer veel ouder is, die doet niet meer zo. Moet je die twee van mij horen. Ze hebben het altijd over lekkere wijven die ze gaan pakken. Maar als ze een meisje zien, durven ze niks. Sven heeft gewoon tegen zijn broer opgeschept, meer niet. Snap dat dan. Die Lennart kan hartstikke goed zwemmen. Nou, hij kan meiden versieren. Moet je hem daar nou zien staan, tjonge, wat een versierder.'

Roosmarijn kijkt Svens kant op. Nee, denkt ze. Halima heeft gelijk. Het is alleen maar grootspraak. Dat is geen jongen die voor de kick meisjes versiert.

Roosmarijn is blij dat Halima haar heeft overgehaald naar school te gaan. Nu ze bij Bob in de les zit, is het lang zo eng niet als ze had gedacht. Het komt ook doordat ze bij het raam zit, daar voelt ze zich veilig.

De bel is allang gegaan als Hakim en Arnout de klas inkomen. 'Sorry dat we zo laat zijn,' zegt Arnout. 'Ik kan er echt niks aan doen. Mijn zus heeft mijn wekker ingepikt.'

'En mijn zus heeft de brug opengezet,' zegt Hakim.
De hele klas moet lachen. Iedereen weet dat Arnout en Hakim geen zus hebben.
'Zussen kunnen heel lastig zijn.' Bob stopt een dropje in zijn mond.
'Eet je altijd alleen?' vraagt Arnout.
'Dat bedoel ik nou,' zegt Bob. 'Ik wou jullie trakteren, maar mijn zus heeft alles opgegeten.'
Bob is echt op dreef. Hij maakt de ene snelle grap na de andere. Als Roosmarijn hem zo bezig ziet, kan ze zich bijna niet meer voorstellen wat er is gebeurd. Zou het soms toch allemaal per ongeluk zijn gegaan? Ze besluit er niet meer aan te denken. Bob legt een nieuw hoofdstuk uit. Als ze nu niet oplet, snapt ze het nooit meer. 'Zullen we het er dan maar op wagen?' zegt Bob als niemand meer iets te vragen heeft. En hij vertelt welke sommen ze moeten maken.
Na een poosje kijkt Roosmarijn op. Bob loopt weer langs de tafels, maar dit keer hoeft ze zich geen zorgen te maken. Ze zit tenslotte veilig bij het raam.
'Heb jij je passer bij je?' vraagt ze aan Halima. Halima pakt haar tas en haalt haar etui eruit. Als ze haar tas op de grond wil zetten, laat ze per ongeluk haar etui vallen. Alle pennen en potloden rollen over de grond.
'Oh, wat ben ik weer handig.' Halima bukt om ze op te rapen. Ze is nog niet van haar plaats of Bob komt aanlopen. 'Even een beetje frisse lucht, jongens.' Voordat hij het raam openzet, kijkt hij naar Roosmarijns schrift. 'Je snapt het nog niet helemaal, maar dat geeft niks. Dit is de lijn die je moet hebben.' Terwijl Bob over Roosmarijns schouder de lijn trekt, drukt hij de palm van zijn hand tegen haar borst. Roosmarijn versteent.
'Zo.' Alsof er niks aan de hand is, doet Bob het raam open en gaat door met nakijken.
'Wat deed hij?' fluistert Halima als ze de paniek in Roosmarijns ogen ziet.
Roosmarijn schudt haar hoofd. Ze kan geen woord uitbrengen. De tranen staan haar in de ogen.

'Kom mee.' Halima pakt eerst haar eigen spullen in en dan die van Roosmarijn.

Bob kijkt hen vragend aan.

'Roosmarijn voelt zich niet lekker. We gaan even een luchtje scheppen.' En Halima trekt Roosmarijn mee de klas uit.

'Wat deed hij nou? Vertel dan?' Halima kijkt haar vriendin aan. En dan begint Roosmarijn te huilen. 'Het was zo'n vies gevoel. Hij... hij zat weer aan mijn borst...'

'Wat een viezerik.' Halima neemt Roosmarijn mee naar de aula en pakt haar vriendins hand. 'Rustig maar, we gaan er wat aan doen met zijn allen.'

'Ik ga niet meer naar wiskunde,' zegt Roosmarijn. 'Nooit meer.'

'Dat mocht hij willen!' Halima is woedend. 'Die smeerlap dondert zelf maar op. Je kent onze klas. Als we dit vertellen, staan ze allemaal achter je, Roos, en dan komt het vanzelf goed. Desnoods gaan we met de hele klas naar Hazelman.'

Roosmarijn knikt. Ze vindt zelf ook dat er iets moet gebeuren. Halima kijkt op de klok. De bel kan elk moment gaan. Ze gaat vast in de deuropening staan om haar klas op te vangen. Het duurt even, maar dan komt klas 2B met veel lawaai de gang in.

'Stelletje deserteurs!' roept Bart als hij Halima ziet.

'Niks deserteurs,' zegt Halima. 'Iedereen moet komen zitten. We moeten iets bespreken.'

'Nou nou, je doet wel erg serieus,' zegt Arnout.

'Het is ook serieus.' Halima wacht tot de hele klas in de aula zit en dan begint ze. 'Jullie zullen je wel rot schrikken, het gaat over Bob.'

'Gaat hij van school?' Alleen al bij de gedachte worden ze rood.

'Misschien wordt hij wel van school gestuurd,' zegt Halima. 'Je zou het niet van Bob verwachten, maar hij kan zijn handen niet thuishouden.'

'Wie heeft hij geslagen?' vraagt Bart. 'Zeker die Marco uit 3B. Als hij die een oplawaai heeft verkocht, snap ik het best. Wedden dat die klier weer Johans bril heeft afgepikt? Dat heeft hij al eens gedaan. Hartstikke gemeen, want dan ziet Johan dus echt hele-

maal niks meer. Bob is natuurlijk pissig geworden toen hij het zag en die heeft Marco een ros verkocht. Logisch toch?'
De hele klas valt Bart bij. 'Daarvoor laten we hem niet van school trappen hoor, dan gaan we protesteren.'
'Stil nou eens.' Halima is geïrriteerd. 'Hij heeft helemaal niemand geslagen. Hij kan op een andere manier zijn handen niet thuishouden. Hij zit steeds aan Roosmarijn.'
'Oh.' Iedereen zucht opgelucht. 'Is dat alles? Hij pakt altijd wel een schouder vast. Dat mag toch wel.'
'Bij Roosmarijn zit hij niet aan haar schouder,' zegt Halima, 'maar aan haar borsten.'
'Wat...?' Ze schrikken heel erg. Sprakeloos kijken ze Roosmarijn aan. Een tijdje blijft het stil en dan zegt Bart: 'Hoe kan dat nou? Bob is de tofste leraar van de school.'
'Ja, dat dachten wij ook,' zegt Halima.
'Ik kan het bijna niet geloven,' zegt Susan. 'Ik zit al heel lang met hem in de feestcommissie en hij heeft nog nooit zoiets gedaan. Is het geen vergissing?'
'Ik verzin het allemaal, nou goed!' schreeuwt Roosmarijn.
'Het is nou al de derde keer dat hij Roosmarijn heeft aangeraakt,' zegt Halima. 'Ze durft niet eens meer naar wiskunde. Dat kan toch niet? Er moet iets gebeuren. Ik stel voor dat we met zijn allen naar Hazelman gaan.'
'Naar Hazelman?' Dat vindt iedereen wel erg ver gaan. 'Dat kun je toch niet zomaar doen? Weet je wel waarvan je hem beschuldigt? Dat is heel erg hoor. Zo meteen wordt hij van school gestuurd.'
'Ik vind dat we voor Roosmarijn moeten opkomen,' zegt Halima.
'Dat wil ik best,' zegt Bart. 'Ik ben heus geen schijter, maar dan moet ik het wel zeker weten.'
Dat vindt de rest van de klas ook. Omdat Roosmarijn overstuur is, kijken ze Halima aan. 'Hoe ging het dan precies?'
'Dat weet ik niet,' zegt Halima. 'Mijn etui viel, ik was bezig mijn pennen op te rapen. Bob wilde zogenaamd het raam openzetten en toen gebeurde het.'
'Dus je hebt niks gezien?' vraagt Arnout. 'Heeft iemand anders iets gezien? Patrick, jij dan, je zit er vlak achter.'

75

'Ja, jij bent lekker,' zegt Patrick. 'Hoe kan ik nou wat gezien hebben, ik keek tegen zijn rug aan.'

'Waar zijn jullie nou mee bezig?' zegt Sven. 'We zien toch allemaal hoe Roosmarijn eraantoe is? Jullie doen net of ze liegt.'

'Ik zeg niet dat ze liegt,' zegt Bart. 'Maar Roosmarijn ziet wel eens vaker iets dat er niet is.'

'Ja,' zegt Arnout. 'En het gaat altijd over Bob. Toen had hij zogenaamd verkering en nu dit weer.'

'Je gelooft haar dus niet.' Sven is kwaad. 'Dit vind ik wel heel ver gaan, hoor. Bob is gewoon een engerd en...'

'Ga je lekker,' onderbreekt Bart hem. 'Je denkt toch niet dat we de gaafste leraar van school gaan trappen? Dit is trouwens helemaal geen goeie plek om zoiets te bespreken. Zo meteen hoort iemand het en dan gaat het praatje zo rond. Ik schaam me kapot tegenover Bob. Kom op, we gaan naar buiten.'

Sven is het er niet mee eens. Hij vindt dat ze actie moeten ondernemen en hij gaat zijn vrienden achterna.

De rest van de klas verdwijnt ook. Alleen Halima en Roosmarijn blijven achter.

'Nou, dat is fijn,' zegt Roosmarijn. 'Van je klas moet je het hebben.'

'Ik geloof je wel, hoor, Roos. En Sven ook.'

'Ach Sven,' zegt Roosmarijn. 'Die wil gewoon dat zijn film doorgaat.'

'Wat doen we nu?' vraagt Halima.

Roosmarijn haalt haar schouders op.

'Je moet het tegen je ouders vertellen, die bellen dan met Hazelman.'

'Dat gaat niet,' zegt Roosmarijn. 'Anders had ik het allang gedaan. Mijn ouders zitten midden in een bedrijfscrisis. Die kan ik daar echt niet mee lastigvallen. Het heeft niet eens zin. Ik weet zeker dat het niet tot ze doordringt. Ze kunnen het er nu gewoon niet bij hebben.'

'We gaan eerst naar Engels,' zegt Halima als de bel gaat. 'En daarna bedenken we wel wat.'

'Ga jij maar, ik doe niks meer,' zegt Roosmarijn. 'Ik blijf hier gewoon zitten.'

'Maar we hebben een SO,' zegt Halima. 'Je hebt het hartstikke goed geleerd, dat is toch zonde.'

'Nou en? Dan maar zonde, ik heb geen zin.'

'Roos?' Halima probeert haar vriendin over te halen, maar ze maakt haar alleen kwaaier.

'Laat me nou maar, het gaat zo wel weer over.'

'Oké.' Halima kent Roosmarijn. Ze kan haar beter met rust laten. Dan trekt ze wel weer bij.

Sven en Bart komen er niet uit. Ze hebben er zelfs ruzie om. 'Ik vind het belachelijk,' zegt Sven als ze naar het Engelse lokaal lopen. 'Dacht je nou echt dat Roosmarijn zoiets verzint?'

'Hou er nou eens over op,' zegt Bart. 'Jij bent hartstikke blind, dat komt omdat je verliefd bent. Maar iedereen weet dat Roosmarijn een fantast is. Ze wil toch filmster worden? Nou, daar is ze supergeschikt voor. Als er één gevoel voor drama heeft, is het Roosmarijn wel.'

'Wat nou?' zegt Sven. 'Bewijs dan eens dat het niet zo is?'

'Man hou op.' Bart en Arnout lopen kwaad weg.

Sven heeft geen zin meer om naar de les te gaan. Dan kan hij zeker naast Bart gaan zitten. Nog één zo'n stomme opmerking en hij geeft hem een klap voor zijn kop. En Bob moet ook oppassen. Is hij helemaal gek om Roosmarijn lastig te vallen. Waar is ze trouwens? Als hij Halima in haar eentje het lokaal binnen ziet gaan, wordt hij ongerust. Zou ze nog in de aula zitten? Sven denkt geen seconde na en draait zich om. Hij moet naar haar toe. Als hij de aula inkomt, zit Roosmarijn alleen aan het tafeltje. Sven voelt dat zijn hart sneller begint te kloppen. Hij loopt naar haar toe. 'Hoi,' zegt hij.

Roosmarijn kijkt op. 'Ik heb nu even geen zin om over de film te praten.'

Sven denkt aan wat Lennart heeft gezegd. Hij moet haar laten merken dat ze veel voor hem betekent, veel meer dan alleen iemand waarmee hij een film maakt.

'Ik kom niet over de film praten, ik vind het heel erg voor je wat er is gebeurd.' Sven slaat een arm om Roosmarijn heen.

Roosmarijn krijgt een heel warm gevoel. Ze wil bijna haar hoofd tegen zijn schouder leggen en bij hem uithuilen. Maar dan bedenkt ze ineens wat Lennart heeft gezegd.

'Je hoeft heus niet te denken dat ik zielig ben.' Ze duwt Svens arm weg en loopt de aula uit.

10

Vandaag is het maandag. Roosmarijn rijdt van school naar huis als Halima haar inhaalt. 'Stop! We kunnen iets leuks gaan doen. Mijn moeder staat op mijn GSM. Blauw heeft afgebeld, ze is ziek, ik hoef niet naar bijles.'

Roosmarijn stapt van haar fiets. Ze is blij met het voorstel. Na het laatste incident met Bob liep het niet zo lekker tussen hen. Halima wou per se dat ze haar verhaal aan de directeur vertelde, maar Roosmarijn voelt daar niks voor. Ze weet zeker dat Hazelman haar niet gelooft. Met de klas ging het toch ook zo? Bob zal het glashard ontkennen en dan wordt zij voor leugenaar uitgemaakt. Daar kan ze niks tegen beginnen, want ze heeft geen bewijs. Hoe het verder moet, weet ze zelf ook niet. Bob is een paar dagen niet op school, hij heeft een cursus. Woensdag is hij er pas weer. Als het een beetje meezit, is tegen die tijd de crisis in het bedrijf van haar ouders over en kunnen ze haar helpen.

'Gaan we nou wat doen of niet?' vraagt Halima.

'Eigenlijk moet ik vanmiddag filmen,' zegt Roosmarijn. 'Maar ik denk toch dat ik ermee kap.'

'Ben je gek geworden of zo?'

'Ik moet wel. Als ik Sven steeds blijf zien, krijg ik hem nooit uit mijn kop.' Roosmarijn doet echt haar best om hem te vergeten, maar het lukt haar gewoon niet. Dat komt vooral door die keer in de aula. Ze moet er steeds aan denken dat hij een arm om haar heen sloeg en dan vraagt ze zich af wat er zou zijn gebeurd als ze hem niet had weggeduwd.

'Je kapt er niet mee,' zegt Halima streng. 'Dat zou hartstikke stom zijn. Dit is je kans. Je wilt toch actrice worden? Stel je voor dat je ontdekt wordt. Later zul je ook wel eens met iemand moeten spelen op wie je verliefd bent. Dat hoort erbij. Je moet alleen aan je rol denken.'

'Als Sven dat dan ook doet.'

'Wat bedoel je?'

'Nou, eh... ik heb je toch verteld hoe hij in de aula deed? Het leek er echt op dat Lennart gelijk had en dat hij me probeerde te versieren.'

'Maak je niet druk,' zegt Halima. 'Daar ben je toch zelf bij?'

'Dat is het juist,' zegt Roosmarijn. 'Ik weet niet of ik de volgende keer weer zo sterk ben. Ik vond het ook fijn, dat snap je toch wel.'

'Misschien moet je hem dan niet wegduwen. Het kan toch dat hij echt verliefd op je is.'

'Maar volgens Lennart...'

Halima laat Roosmarijn niet uitpraten. 'Je weet niet eens zeker of hij dat bedoelde. Waarom vraag je het hem niet. We kunnen toch wel even bij hem langsgaan. Hij zit hier toch ergens op school?'

'En dan zeker vertellen dat ik verliefd op Sven ben, daar zal hij blij mee zijn.'

'Welnee, dat gaat hem niks aan. Je wilt weten hoe Sven in elkaar zit? Nou, dat krijg ik er wel uit. Je weet hoe goed ik kan vissen.'

Roosmarijn vindt het wel een beetje eng. 'Ik weet niet meer waar hij op school zit,' zegt ze gauw.

'Ik wel, op De Bakel, dat heb je zelf gezegd.' Halima steekt haar tong naar haar vriendin uit.

Roosmarijns mond valt open. 'En dat heb je onthouden?'

'Belangrijke dingen onthoud ik altijd,' lacht Halima.

Eigenlijk wil Roosmarijn wel weten hoe het zit. Het kan toch dat ze het echt verkeerd heeft opgevat en dat Sven het wel meende toen hij van de week zo lief tegen haar deed. Maar tegelijkertijd ziet ze honderd en een bezwaren.

'Wat wil ik nou horen?' vraagt ze. 'Oké, dan is hij geen versierder, maar wat maakt dat nou uit? Hij heeft toch verkering.'

'Je hebt gelijk,' zegt Halima. 'En dan mag je nooit meer op iemand anders vallen. Nee, dat is zo. Eens gekozen blijft gekozen. Roosmarijn, doe toch even normaal. Heb je wel eens van uitmaken gehoord?'

Roosmarijn moet lachen. 'Ach ja, die Miranda is misschien leuk, maar ik ben natuurlijk véééél leuker.'

'Hèhè, kom je er ook achter!' Halima stapt zuchtend op haar fiets.

'Waar ga je heen?' vraagt Roosmarijn als Halima de weg oversteekt.

'De Bakel is toch achter het station,' zegt Halima doodleuk. En ze rijdt ernaartoe.

Sven zit op zijn kamer. Hij kijkt op de klok. Over een uurtje komt Roosmarijn. Hij is blij dat het eindelijk zover is. Toen ze de aula uitliep, had hij een heel naar gevoel. Hij betrok het op zichzelf. Achteraf zag hij in dat hij er niks mee te maken had. Ze zou tegen iedereen zo hebben gedaan. Ze was overstuur. Maar straks gaan ze filmen en dan komt alles heus wel goed. Hij heeft zich voorgenomen haar voorlopig maar niet aan te raken. Dat heeft hij aan Bob te danken. Hoe haalt die viespeuk het in zijn hoofd Roosmarijn lastig te vallen. Bob is nog niet van hem af. Als het moet, stapt hij zo naar Hazelman. Zo'n smeerlap hoort niet op school. Voor de zoveelste keer die middag kijkt Sven op zijn horloge. Hij mag zijn camera wel vast pakken. Zijn vader moest eens weten dat hij hem toch gebruikt. Sven voelt zich er echt niet schuldig over, het is tenslotte zíjn camera. Hopelijk ligt hij weer op dezelfde plek. Het zal hem toch niet gebeuren dat zijn vader hem in de kluis heeft gestopt. Dat zou pas echt een ramp zijn. Dan kan hij het met Roosmarijn wel vergeten.

Sven doet de deur van zijn vaders werkkamer open en stapt naar binnen. Als hij de bureaula opentrekt, ziet hij de camera gelukkig liggen. Hij neemt hem mee naar zijn kamer en stelt de lens vast in. Ineens bedenkt hij dat hij de banden moet verwisselen. Hij haalt de band van zijn vader eruit en legt hem op zijn bureau. Net als hij zijn eigen band erin wil stoppen, gaat de bel. Zou Roosmarijn er al zijn? Sven hoopt het. Dan ziet zijn moeder haar ook. Hij wil haar gezicht wel eens zien als Roosmarijn voor haar staat. Hij luistert boven aan de trap, maar het is de stem van Bart.

'Je weet hem te vinden, hè?' hoort hij zijn moeder zeggen.

Roosmarijn en Halima staan al twintig minuten voor De Bakel, maar Lennart komt nog steeds niet naar buiten. Roosmarijn heeft geen zin om nog langer te wachten. Ze vindt het toch al niet zo'n goed plan.

'Misschien heeft hij wel tot vier uur les, ik blijf hier niet de hele middag staan, hoor!'
Maar Halima is niet van plan weg te gaan. 'Nu moet ik hem zien ook. Je hebt me de hele weg lekker gemaakt hoe mooi hij is.'
Roosmarijn moet lachen. 'Ik heb alleen gezegd dat ik denk dat het wel jouw type is.'
'Daar komt wat!' Halima knijpt in Roosmarijns arm. Roosmarijn ziet het ook. De deur van de school wordt opengegooid en er komt een stroom leerlingen naar buiten.
'Waar is hij?' Halima wordt helemaal opgewonden.
Roosmarijn heeft er wel lol in. 'Daar loopt hij.' Ze wijst naar een jongen van een jaar of negen die toevallig langsloopt.
Halima valt zowat flauw. 'Is dat hem? Dat krieltje? Doet hij aan babyzwemmen of zo? Nou, jij hebt wel smaak, zeg. Waarom kijk je niet eens op de kleuterschool rond. Daar lopen ook stukken hoor. Mijn vriendin weer...'
'Grapje,' lacht Roosmarijn. 'Natuurlijk is dat hem niet. Zie je die jongen met dat wijze jack? Dat is Lennart.'
'Dat stuk!' Halima schreeuwt het over het schoolplein.
'Ssst... Dat hoort hij, gek!' Als Lennart zijn fiets heeft gepakt, loopt Roosmarijn naar hem toe. 'Hoi.'
Lennart is verbaasd als hij haar ziet. 'Wacht je op iemand?'
Zie je wel, denkt Roosmarijn. We hadden het nooit moeten doen. Wat moet ze nou zeggen? Ik kom voor jou, ik wil weten of Sven te vertrouwen is?
Gelukkig redt Halima haar eruit. 'We wachten op mijn buurjongen. Hij zit in de brugklas. Ik ben trouwens Roosmarijns vriendin.'
'Hallo.' Lennart lacht charmant naar Halima. En dan kijkt hij Roosmarijn aan. 'Ik, eh... ik wou je juist bellen. Zaterdagavond ben ik alleen thuis. Ik wou vragen of je zin hebt om langs te komen. Dan kunnen we samen een videootje kijken.'
Roosmarijn weet niet zo gauw wat ze moet antwoorden. Als het allemaal goed komt met Sven, gaat ze niet naar Lennart natuurlijk.
'Dan is Sven zeker naar zijn vriendin,' zegt Halima listig.
'Nee, hij gaat met zijn vrienden uit. Dat doet hij elke zaterdagavond. Nou ja, met zijn vrienden... In het begin is hij met zijn

vrienden, maar daarna zien ze elkaar de hele avond niet meer. Je weet wel wat ik bedoel, als ze beethebben.'
Dus toch... denkt Roosmarijn.
Halima wordt kwaad. 'Leuk voor zijn vriendin.'
'Ja, hoor eens, dat zoeken ze maar mooi samen uit.' Lennart kijkt Roosmarijn aan. 'Ik zou het machtig vinden als je zaterdagavond langskomt.'
'Ik weet het nog niet,' zegt Roosmarijn. 'Misschien.'
'Ik merk het wel, ik ben in elk geval thuis.' En Lennart stapt op zijn fiets en rijdt weg.
'Nu weet je hoe Sven is,' zegt Halima.
'Nou, dat weet ik zeker. Ik ben blij dat ik toen de aula ben uitgelopen. Die stomme versierder.'
'Volgens mij is Sven helemaal niet zo'n versierder,' zegt Halima. 'Dat vinden die jochies stoer. Hoe meer meiden, hoe beter. Hij doet het om erbij te horen.'
'Dat vind ik dus net zo erg,' zegt Roosmarijn.
'Zet dat joch toch uit je kop,' zegt Halima. 'Hij is nog veel te kinderachtig voor verkering. Ik snap jou niet. Waarom ga je niet met die Lennart. Die kun je zo krijgen!'
'Ik met Lennart?' vraagt Roosmarijn. 'Ik ben helemaal niet verliefd op hem.'
'Ik zou het wel weten.' Halima kijkt dromerig voor zich uit. 'Zo'n gozer laat je toch niet lopen? Als jij hem niet wilt, dan neem ik hem.'
Roosmarijn haalt haar schouders op.
'Ik meen het,' zegt Halima. 'Ik ga zo zaterdagavond naar hem toe.'
Roosmarijn reageert niet. Het kan haar niks schelen. Ze heeft niet eens zin om erover na te denken. Ze snapt het niet. Voor de honderdste keer denkt ze aan die ochtend in de aula. Sven keek zo lief naar haar. Zou dat allemaal gespeeld zijn? Ze kan het bijna niet geloven, maar ze zal wel moeten. Ze heeft het nu toch gehoord. Sven is niet te vertrouwen. 'Stom joch! Als hij maar niet denkt dat ik vanmiddag kom. Ik ben echt niet in de stemming om te filmen.'
'Dan ga je niet,' zegt Halima. 'Je mag heus wel een keer spijbelen.

We gaan samen iets leuks doen, goed? Maar je maakt die film wel af.'

'Dat zie ik nog wel.' Roosmarijn stapt op haar fiets.

Sven is blij dat Bart alleen zijn schrift kwam lenen. Nu hoefde hij hem er tenminste niet uit te zetten. Anders had hij echt wel gevraagd of hij wou weggaan. Het zou toch niks worden als Roosmarijn zo komt en Bart zit er. Bart zou meteen over dat gedoe met Bob beginnen. En dan Roosmarijn ervan beschuldigen dat ze alles verzint. Nou, daar zal de stemming echt beter op worden. Gelukkig zei Bart er niks meer over. En Sven ook niet. Ze weten van elkaar dat ze er verschillend over denken. Zo erg is dat niet. Ze hebben genoeg wat ze wel delen. Vanavond is het zover en gaan ze chatten. Dit keer wordt het echt loeispannend. Ze gaan zeggen dat ze die zogenaamde vrienden van Lotte en Dieke willen ontmoeten. Als het aan Bart ligt, maken ze meteen een afspraak. Hij kan niet meer wachten. Bart verweet hem dat hij er nogal lauwtjes onder was. Maar voor hem is het anders. Hij gaat eerst nog filmen met Roosmarijn. Alsof dat niet spannend is!

Sven kijkt op zijn horloge. Ze kan er elk moment zijn. Hij gaat vast naar beneden. Als hij de kamer inloopt, gaat de telefoon.

'Met Sven.'

'Hoi Sven, met Roosmarijn,' klinkt het aan de andere kant van de lijn.

'Hallo,' zegt Sven vrolijk. 'Jij wilt zeggen dat je wat later komt. Niks erg, hoor, ik wacht heus wel op je.'

'Nee,' zegt Roosmarijn. 'Ik, eh... ik kom niet later. Er is iets tussen gekomen, ik kom vandaag helemaal niet.'

Wat zegt Roosmarijn nou? Sven is zo teleurgesteld dat hij niet weet wat hij moet zeggen. 'Oh, eh...' Meer komt er niet uit.

'Nou, dan weet je het. Tot morgen.' En de verbinding wordt verbroken.

Sven weet niet hoe lang hij daar staat, in de kamer met de hoorn in zijn hand. Langzaam dringt het tot hem door dat Roosmarijn heeft afgebeld. In zijn hoofd herhaalt hij haar woorden. Er is iets tussen gekomen... En dat zegt ze zomaar. In één klap wordt het hem duidelijk dat hun afspraak voor Roosmarijn iets heel anders betekent dan voor hem. Al stond de beste filmregisseur van de wereld voor hem, hij zou Roosmarijn daar nooit voor afzeggen. Verslagen legt Sven de hoorn neer. Ineens zijn er alleen nog verdrietige dingen: de ruzies met zijn vader; het getreiter van Lennart; zijn moeder die nooit voor hem opkomt. Alles wordt zwart. Hij gaat naar zijn kamer en zet een cd op, maar elk nummer doet hem aan Roosmarijn denken. Elke centimeter in zijn kamer doet hem aan haar denken. Er is geen plekje waar hij niet van haar heeft zitten dromen. Hij voelt dat het niet verstandig is om thuis te blijven. Hij kan beter weggaan, maar hij heeft ook geen zin om naar Bart te gaan. Hij weet al wat hij doet, hij fietst naar zee. Dat doet hij wel vaker als hij zich zo voelt. Als hij met zijn hoofd in de wind langs het strand loopt, knapt hij meestal wel op. Hij pakt zijn jas en loopt naar de deur. Op het moment dat hij weg wil gaan, schiet hem iets te binnen. Hij zou bijna vergeten de camera in zijn vaders la terug te leggen. Nou, dat zou er nog wel bij kunnen. Hij rent naar boven en bergt de camera op.

Uren heeft Sven langs het strand gelopen. Hij is er wel van opgeknapt. Hij bedacht ineens dat hij er niet zo zwaar aan moest tillen. Roosmarijn heeft deze keer afgebeld, maar niet voorgoed. Als ze echt met de film wil stoppen, had ze dat heus wel gezegd. Hij moet er niet meteen zo somber over doen. Wedden dat hij er volgende week om kan lachen? Een dikke kans dat ze dan al verkering hebben.

Veel opgeluchter dan hij wegging, fietst Sven de straat in. De auto van zijn vader staat er. Dan beseft hij hoe lang hij het op het strand heeft uitgehouden. Lennart heeft al gezwommen.

'Hoi!' roept Sven als hij de deur opendoet. Hij loopt naar de kapstok en gooit zijn jack over een haak. Hij hoort zijn vader de gang inkomen.

'Dat jij hier nog binnen durft te komen!' Zijn vader staat voor hem. 'Lelijke dief die je bent! Etter! Je hebt die band er expres uitgehaald, zodat ik je broer niet kon filmen. Ik merkte het pas in het zwembad. Mama geloofde niet dat jij tot zoiets in staat bent, maar hier is het bewijs.' Zijn vader houdt de band vlak voor Svens gezicht. 'Hij lag op je bureau. Misselijk onderkruipsel. Nu missen we een heel stuk van Lennarts selectie. Ik stond voor gek met mijn camera. Ik zal je leren!'

'Au!' Sven grijpt naar zijn wang. 'Ik heb die band er niet expres uitgehaald. Ik... Au!'

'Jij wou de boel verzieken, sadist. Zoals altijd. Jij bent rot vanbinnen, maar dat zal ik eruit rammen!'

'Nee papa, alsjeblieft...' Sven voelt dat zijn vader hem beetpakt. Hij komt keihard met zijn hoofd tegen de deur terecht.

'Ik zal je...'

Sven zakt op de grond. Hij houdt zijn handen angstig voor zijn gezicht. 'Niet doen!'

'Ellendeling. Hier! En hier!' En zijn vader slaat Sven op zijn hoofd. Sven voelt zich duizelig worden. Als het eindelijk stil wordt, staat hij op en strompelt de trap op. Hij is misselijk en gaat naar de wc. En dan moet hij overgeven.

'Gaat het?' hoort hij zijn moeder vragen. 'Drink maar wat.' Ze houdt Sven een glaasje water voor.

'Mijn hoofd,' kreunt Sven.

'Ik zal er wat op doen. Waarom heb je dat nou ook gedaan, jongen?' Moeder bet Svens hoofd met een natte handdoek. Sven ziet dat er bloed aan de handdoek zit.

'Ik doe er niks op,' zegt zijn moeder. 'Dat is het beste. Het heelt vanzelf wel.'

Als ze wordt geroepen, gaat ze snel naar beneden.

Sven gaat zijn kamer in. Alles tolt. Hij is bang dat hij weer moet overgeven en pakt de wastafel vast. Als hij zijn gezicht in de spiegel ziet, schrikt hij. Is hij dat? Wat ziet hij eruit! Zo kan hij vanavond niet naar Bart. Hij gaat op bed liggen. In zijn oor klinkt het geschreeuw van zijn vader. 'Lelijke dief die je bent!' Sven houdt zijn handen voor zijn oren, maar het geschreeuw in zijn hoofd gaat door. 'Jij bent rot vanbinnen...'

Sven stopt zijn hoofd onder zijn kussen. En dan begint hij te huilen.

11

Het is alweer twee dagen geleden dat Sven is geslagen, maar hij ziet er nog steeds niet uit. Op school heeft hij verteld dat hij is aangereden en van zijn fiets viel, met zijn hoofd op de stoeprand. Gelukkig trapte iedereen erin. Bart vond dat geen reden om je vriend te laten zitten. Hij was woedend dat Sven 's avonds niet kwam chatten en heeft niet meer tegen hem gepraat. Sven snapt wel dat Bart kwaad is. Het is al de zoveelste keer dat hij het laat afweten. Maar hij heeft zijn vriend echt niet voor de lol in de steek gelaten. Na het pak slaag van zijn vader was hij zo in de war dat hij niet eens meer aan zijn afspraak met Bart gedacht heeft. Hij vindt het zelf ook jammer dat hij er niet was. Het is en blijft een superplan.

Sven moet bijna lachen als hij eraan denkt hoe Hakim en Arnout de laatste dagen op school rondlopen. Er valt geen normaal woord meer met die twee te wisselen. Ze hebben het alleen nog over Annabel en Melissa. Als hij ze moet geloven hebben ze een afspraak met ze. Dat zou betekenen dat Bart het die avond in zijn eentje heeft geregeld. Hij heeft het Bart al een paar keer gevraagd, maar die geeft geen antwoord. Arnout en Hakim weten van de ruzie. Bart heeft verteld dat ze samen een filmpje zouden huren en dat het al de tweede keer is dat Sven hem heeft laten zitten. Sven heeft zich voorgenomen vandaag bij hem langs te gaan. Hij wil Bart niet kwijt. Ze zijn al vanaf de brugklas met elkaar bevriend. Het moet goed komen, maar eerst gaat hij langs Roosmarijn. Ze kwam gisteren uit zichzelf naar hem toe om een afspraak te maken. Het zal niet meevallen haar te vertellen dat hij geen camera heeft.

Zijn vader heeft het ding in de kluis opgeborgen. Het ziet er niet naar uit dat hij het vandaag nog terugkrijgt. Of hij moet erom vragen. Hij kan het proberen. Zijn vader is in zijn kamer. Toen Sven er net langsliep, hoorde hij het geluid van de printer.

En hij heeft een goed humeur, want Lennart heeft vanochtend te horen gekregen dat hij mee mag doen met de jeugdkampioenschappen. Als hij zijn vader nu eens eerlijk vertelt hoe het is gegaan. Hij kan hem uitleggen dat hij verliefd is op Roosmarijn. Dat hij daarom heeft bedacht samen met haar een film te maken. Dan moet zijn vader toch begrijpen dat het heel belangrijk voor hem is dat hij zijn camera vandaag terugkrijgt? Sven zucht. Hier, in zijn eigen kamer, kan hij het allemaal bedenken, maar als hij voor zijn vader staat weet hij de woorden niet. Maar ja, als hij Roosmarijn niet wil verliezen zal hij toch iets moeten ondernemen. Sven gaat op zijn bed zitten. Is er nou niemand van wie hij een camera kan lenen? De laatste dagen heeft hij zich al suf gepiekerd, maar hij kan echt niemand bedenken. Aan zijn vrienden hoeft hij het ook niet te vragen. Hij is de enige in de klas die een camera heeft. Dat vond hij juist zo stoer.

Het is een tweedehands dingetje, maar Sven weet nog hoe blij hij was toen hij het voor zijn verjaardag kreeg. Hij had er al zolang om gevraagd, maar zijn vader zag het nut er niet van in. Hij vond het niet nodig om die 'stompzinnige hobby' van hem te stimuleren. Zijn oma beloofde een goed woordje voor hem te doen. Ze zei tegen zijn vader dat het voor zwemmers leerzaam kon zijn als hun zwemprestaties worden vastgelegd. Iets beters had ze niet kunnen verzinnen. Toen Sven jarig was, kreeg hij de camera. Sven denkt na. Als hij met zijn vader wil praten, moet hij het nu doen. Straks is hij weg met de sleutel van de kluis in zijn zak. Wat kan hem nu helemaal gebeuren? In het ergste geval krijgt hij zijn camera niet terug. Even aarzelt hij nog. Het is niet gemakkelijk om bij zijn vader binnen te stappen. Dan bedenkt hij dat je moeilijke dingen beter meteen kunt doen en hij loopt de gang op. Voor de deur van zijn vaders kamer haalt hij diep adem. Een, twee... bij drie klopt Sven aan en doet de deur open. Maar zijn vader zit niet achter zijn bureau. Hij is er wel geweest, want het licht brandt en het raam staat open. Sven kijkt naar buiten. Het begint net te gieten. De regen staat pal op zijn vaders raam. Zo worden de papieren op het bureau nat. Hij ziet al spetters. Voordat het erger wordt, loopt hij naar binnen om het raam dicht te doen.

'Wat doe jij hier?' Zijn vader staat in de deuropening met een verlengsnoer in zijn hand. 'Gaan we nu al inbreken ook? Met jou is niks meer veilig.'

'Ik wou niks pikken,' zegt Sven geschrokken.

'Oh nee?' Svens vader komt dreigend met het snoer op Sven af.

'Ik wou alleen...'

Zijn vader grijpt hem ruw bij de arm. 'Eruit jij, rotzak! Voor ik je vermoord!'

'Papa, je moet me geloven, ik wou alleen... Au... papa, niet doen!'

Het verlengsnoer striemt op Svens rug.

'Jij hoort in een gesticht, weet je dat?'

De eerste slagen doen pijn, maar dan voelt Sven niets meer. Hij kijkt op als hij in de gang op de grond zit. De deur van zijn vaders kamer is dicht. Voorzichtig komt hij overeind. Alles doet hem pijn. Hij gaat naar zijn kamer. Hoe moet dit verder? Hij weet het niet. Hij houdt zijn T-shirt omhoog en bekijkt zichzelf in de spiegel. Zijn rug zit vol striemen. Maar dat ziet tenminste niemand. Au! Elke beweging doet hem pijn, maar daar mag Roosmarijn niks van merken. Hij kan dit niet vertellen. Daarvoor schaamt hij zich te veel. Hij vertelt ook niet dat zijn camera is afgepakt. Niemand mag dit weten. Hij moet een smoes verzinnen, een heel goeie smoes.

Roosmarijn had zich van alles voorgenomen. Ze zou haar kamer opruimen; ze zou vast wat aan haar huiswerk doen; ze zou een brief aan haar vriendin in Frankrijk schrijven. Er is dus niks van gekomen. Ze zit de hele ochtend al op haar bed. Sinds ze gisteren op het bord las dat Bob er maandag weer is, heeft ze geen rust meer. Ze heeft geprobeerd er met haar ouders over te praten, maar die hoorden haar niet eens. Die zijn veel te druk met hun eigen problemen. Ze zal het zelf moeten oplossen. Gisteravond belde haar broer vanuit Australië. Ze wou het Julius vertellen, maar uiteindelijk deed ze het toch maar niet. Ze houdt hem er liever buiten. Het zou echt iets voor Julius zijn om Bob te bellen. Roosmarijn moet er niet aan denken, dat zou het alleen maar nog erger maken. Vooral de manier waarop Julius zoiets aanpakt. Hij is een schat, maar als ze aan zijn zus komen zijn ze nog niet klaar met hem. Als ze helemaal geen uitweg meer ziet, kan ze hem altijd nog bellen. Ze moet ophouden met piekeren. Voorlopig is het nog geen maandag. Straks gaat ze lekker filmen met Sven. Hoe laat is het eigenlijk? Roosmarijn schrikt als ze op de klok kijkt. Nog even en dan staat Sven voor de deur. Ze heeft nog niks voorbereid. Ze wil net haar rugtas pakken als de telefoon gaat. Nee, denkt Roosmarijn, je belt toch niet af, hè?

Ze rent de trap af en neemt de hoorn op. 'Met Roosmarijn.' Ze is blij als ze de stem van Halima herkent. 'Ik ben net mijn rugtas aan het inpakken.'

'Ga je weg?' vraagt Halima.

'Ja, ik loop straks weg, zielig hè?'

'Heb je ruzie?'

'Nee,' zegt Roosmarijn. 'Ik heb een heel stomme vriendin. Ik word gek van haar. Ze loopt altijd achter me aan. Daarom ga ik ervandoor.'

Nu weet Halima het ineens weer. 'Je gaat filmen.'

'Vind je me niet braaf?' vraagt Roosmarijn. 'Jij was zo streng tegen me dat ik maar een afspraak met Sven heb gemaakt.'

'Liegbeest!' roept Halima. 'Je wou het zelf ook. Ik zag je gisteren wel kijken naar Sven. De liefde is nog niet over.'

Roosmarijn weet dat Halima gelijk heeft. Ze is nog steeds verliefd op Sven. Hij leek zo blij toen ze een afspraak maakte. Dat betekent dat hij haar ook leuk vindt. Het kan toch niet zo zijn dat hij het allemaal speelt?

'Vind je het dan niet erg meer dat hij zijn vriendin elk weekend bedriegt?'

'Ik heb het met Julius besproken,' zegt Roosmarijn. 'Die zei dat het net zo goed aan die Miranda kon liggen. Ik denk dat hij gelijk heeft. Als Sven met mij verkering heeft, wil hij niet meer met een ander zoenen.'

'Ik hoor het al, je bent helemaal om,' zegt Halima.

'Ik ben niks om,' zegt Roosmarijn. 'Ik ben gewoon smoorverliefd

op dat joch. Ik wil hem nog niet opgeven. Hij krijgt nog een kans.'
'Dus je gaat vanavond niet naar Lennart?'
'Misschien wel,' zegt Roosmarijn. 'Maar dan vertel ik hem wel dat ik niet verliefd op hem ben.'
Halima springt zowat door de hoorn heen. 'Dan is hij voor mij! Wil je vragen hoe hij me vindt?'
Roosmarijn moet lachen. 'Zo meteen heb ik verkering met Sven en jij met zijn broer.'
'Te gek!' juicht Halima. 'Dan worden we nog familie. Je moet echt een goed woordje voor me doen. Zeg maar dat ik heel leuk ben.'
'Nee, ik zeg dat je een saaie tut bent en dat ik gek van je word. Of hij alsjeblieft verkering met je wil nemen, want dan ben ik van je af. Ik zal zeggen dat hij een rekening mag sturen voor elke week dat hij het volhoudt.'
Halima begint te protesteren, maar dan onderbreekt Roosmarijn haar. 'Oh, de bel. Daar is Sven. Ik moet ophangen. Je hoort het nog wel.' Als ze de deur geopend heeft, zegt ze: 'Ik moet alleen nog even mijn rugtas van boven halen. Wacht even.'
'We kunnen niet filmen,' zegt Sven. 'Ik heb vanochtend iets heel stoms gedaan. Ik heb mijn camera laten kletteren. De lens is gebroken en hij deed het ook niet meer. Ik heb hem net weggebracht. Ik dacht dat Van der Ploeg er wel even naar kon kijken. Vergeet het maar, over tien dagen krijg ik hem pas terug. Van der Ploeg zei dat het niet eerder kon, omdat hij het hartstikke druk heeft.'
Het is dus toch waar, denkt Roosmarijn, je hebt me alleen maar gevraagd om me te versieren... En omdat het niet is gelukt, zeg je gauw dat je camera kapot is. Dan kun je in die tien dagen een ander zoeken die er wel instinkt...
'Ik hoopte nog dat ik een camera kon lenen,' zegt Sven. 'Maar ik ken niemand die er een heeft. Waardeloos, hè? Nou kunnen we niet verder. Ik vertel het je zodra hij gemaakt is, goed?'
'Dat hoef je niet te doen. Zoek maar een ander om die film mee te maken. Dag!' En Roosmarijn knalt de deur voor Svens neus dicht.
Sven staat een tijdje voor de dichte deur. Hij vraagt zich af of hij een tweede keer zal aanbellen. Maar wat heeft het voor zin?

Misschien wordt Roosmarijn dan nog wel kwader. Het is duidelijk. Hij heeft het bij haar verpest. Precies waar hij dus al bang voor was. Maar wat moest hij dan? De waarheid kan hij haar niet vertellen. Hij draait zich om en loopt het tuinpad af. Bij zijn fiets blijft hij nog even staan treuzelen. Hij hoopt dat Roosmarijn hem achterna komt, maar de deur blijft dicht. Van de zenuwen laat Sven zijn fietssleutel vallen. Zijn hele lichaam doet zeer als hij hem opraapt. En nu moet hij ook nog naar Bart. Hij is niet bepaald in de stemming om een ruzie uit te praten, maar anders raakt hij zijn vriend ook kwijt. Nog een keer kijkt Sven naar het raam van Roosmarijns kamer. Als ze er niet staat, stapt hij op zijn fiets en rijdt naar Bart.

Op de fiets bedenkt Sven wat hij tegen Bart zal zeggen, maar dat is niet nodig. Bart is allang blij als Sven zijn kamer instapt. 'Goed van je dat je langskomt.' Hij geeft Sven een klap op zijn schouder.
Sven kan een kreet van pijn nog net inhouden. 'Ik, eh...' Sven wil zeggen dat het hem spijt, maar Bart onderbreekt hem. 'Laat maar. Je hebt het al goedgemaakt. Arnout en Hakim komen ook zo. Gezellig, dan kunnen we weer eens iets met zijn vieren doen.'
'Heb je van de week alleen gechat?' Sven is benieuwd.
Bart knikt. 'Ik moest toch wel? We hadden met Dieke en Lotte afgesproken. Je hebt wat gemist, man. Ze zijn er met beide benen in getrapt. Ik heb een afspraak met ze gemaakt. Niet vergeten: volgende week zaterdagavond om zeven uur voor De Harmonie. Dat wordt pas feest. Als je mij tenminste niet weer laat zitten.'
'Nee, ik ben er.' Sven steekt twee vingers op. 'Dat wil ik echt niet missen. Die twee worden niet goed als ze ons zien, we mogen wel een brancard bestellen.'
Bart lacht. 'Ze denken dat Melissa en Annabel met ze naar de film gaan. Je had ze moeten horen. Ze nemen zelfs een polaroidcamera mee. Iedereen wil die meiden zien. De halve school weet het. Dat wordt wat als ze maandag foto's moeten laten zien waar wij op staan. Ze kunnen zich beter ziek melden. Die hebben geen leven meer.'

'Denk je niet dat er een heleboel grapjassen zijn die ook naar De Harmonie komen? Ik zie Patrick er echt wel voor aan en Joris. En wat dacht je van die meiden?'

'Dat kan niet,' zegt Bart. 'Niemand weet zogenaamd waar ze hebben afgesproken. Ik krijg het ook niet te horen. Ze denken dat ze bijdehand zijn. Wat een mop!'

'Ik was zo benieuwd hoe het was gegaan,' zegt Sven. 'Maar jij wilde niks zeggen.'

'Eigen schuld,' zegt Bart. 'Ik had echt de pest in. Je had ook niet veel langer moeten wachten met langskomen. Ik zei nog tegen Hakim en Arnout dat als je dit weekend niet iets leuks met ons ging doen, dat het dan niet meer hoefde. Maar je bent er. We gaan namelijk zwemmen.'

Zwemmen? Sven schrikt. Hij kan niet zwemmen met die striemen op zijn rug.

'Ja, we gaan zwemmen,' zegt Bart. 'En jij gaat niet zeggen dat je geen zin hebt.'

'Ik, eh... ik heb mijn zwembroek niet bij me en ik heb geen sleutels, ik kan er niet in.' Sven heeft meteen spijt van zijn slappe smoes.

'Oh, dat is geen punt,' zegt Bart. 'Je kunt een zwembroek van mij lenen.'

Zie je wel, denkt Sven. Dat had hij kunnen weten. 'Nee, ik ga niet zwemmen, ik kan niet.'

Even lijkt het of Bart boos wordt, maar dan schiet hij in de lach. 'Haha, zo ken ik je weer. Je probeert mij in de maling te nemen. Het was je bijna gelukt. Ik dacht even dat je er weer tussenuit wou knijpen, maar zo erg ben je niet.'

Help! Sven durft bijna niet te zeggen dat hij het meent, maar hij zal wel moeten. Hij heeft best zin om lekker met zijn vrienden in het water te duiken, maar dat kan nu eenmaal niet.

'Het is geen geintje,' zegt hij voorzichtig. 'Ik kan echt niet mee.'

Nu ziet Bart dat Sven het meent.

'Echt Bart, sorry.'

'Sorry?' Bart wordt razend. 'Wat nou, sorry? Ik dacht dat we vrienden waren.'

'Dat zijn we ook, maar...'

'Daar is dus niks van te merken,' schreeuwt Bart. 'Helemaal niks. Je hoeft niet mee, je hoeft nooit meer mee. Zaterdagavond ook niet. Ik vraag Patrick wel. Hoepel maar op!' Sven probeert Bart er nog van te overtuigen dat hij er echt niks aan kan doen, maar bij elk woord dat hij uitspreekt, wordt Bart alleen maar bozer. Hij loopt naar de deur en houdt hem open. 'Ophoepelen, zei ik.'
'Nou, dan ga ik maar,' zegt Sven.
'Het zal je geraden zijn,' zegt Bart. 'En als je nog iets om onze vriendschap geeft, dan ben je vanmiddag in De Kom. Ik meen het!' schreeuwt Bart als Sven beneden staat. En dan wordt de deur van Barts kamer met een klap dichtgeslagen.

'Moet je niet filmen?' vraagt Halima als Roosmarijn voor de deur staat.
'Het ging niet door,' zegt Roosmarijn. 'Sven heeft zijn camera laten vallen. Hij moet gemaakt worden.'
'Zei hij dat echt?' Halima schrikt er ook van. 'Dat had ik niet van Sven verwacht. Dan had hij dus toch andere bedoelingen en wil hij ervan af. Je hebt hem er toch wel uitgegooid, hoop ik?'
'Ja,' zegt Roosmarijn. 'Maar achteraf had ik spijt.'
'Hoezo spijt?'
'Als het nou wel waar is? Misschien heeft hij hem echt laten vallen.'
'Dat geloof je toch niet,' zegt Halima. 'Het past helemaal in het beeld. Je eerst versieren en lukt dat niet, dan valt zomaar zijn camera kapot. En hoe lang moet dat duren?'
'Hij had het over tien dagen,' zegt Roosmarijn. 'Dat klopt wel. Hij ligt bij Van der Ploeg. Nou, die is nooit zo vlot. Mijn cd-speler was ik ook een week kwijt.'
'Dus je gelooft hem wel,' zegt Halima.
'Ik weet het niet,' zegt Roosmarijn. 'Ik heb er een rotgevoel over. Ik heb zo de deur voor zijn neus dichtgeknald.'
'Nou en, laat hem. We gaan de stad in. Ik wil misschien een nieuwe cd kopen.'
Roosmarijn vindt het prima. Onderweg doet ze haar best om vrolijk te zijn, maar ze is er niet met haar aandacht bij. Halima heeft

er al een paar keer iets van gezegd. In het warenhuis laat ze Roosmarijn de cd horen. 'Hoe vind je hem?'

'Oh, eh... swingend,' zegt Roosmarijn afwezig.

'Nou hou je op.' Halima is geïrriteerd. 'Je zit alleen met je hoofd bij die sukkel.'

'Sorry, maar ik zit er gewoon mee.'

'Waar zit je dan mee?' vraagt Halima. 'Dat je iemand eruit hebt gezet die liegt?'

'Nee, dat ik iemand eruit heb gegooid op wie ik verliefd ben. Ik weet niet of hij liegt.'

'Erg eerlijk is hij ook niet,' zegt Halima. 'Waarom mocht jij niet aan Lennart vertellen dat jullie aan het filmen waren? Vind je dat niet vreemd?'

Roosmarijn zucht. 'Daar heb ik eigenlijk nooit over nagedacht, maar het klopt niet.'

'Juist. En daarom klopt dit verhaal ook niet.'

'Daar komen we dus nooit achter.'

'Jawel.' Halima wijst naar de overkant. 'Daar zit Van der Ploeg.'

Roosmarijns mond valt open. 'Wil je daar naar binnen gaan?'

'Ja,' zegt Halima. 'Dan weet je het tenminste. Als dat ding er ligt, kun je naar hem toe gaan om het goed te maken.'

Roosmarijn knikt aarzelend.

'Maar als de camera er niet ligt, is hij dus een grote bedrieger en dan zet je hem uit je hoofd.'

'Oké.' En Roosmarijn steekt de straat over. Ze hoopt dat de camera er ligt. Dan gaat ze meteen naar Sven toe om het bij te leggen. Misschien vertelt ze hem dan wel eerlijk dat ze verliefd op hem is.

'Nee,' zegt Halima als Roosmarijn een paar meter van de winkel vandaan blijft staan. 'We gaan samen naar binnen, anders geloof je me toch niet.'

'Is het niet gek?' vraagt Roosmarijn.

'Alsof het die man iets kan schelen,' zegt Halima. 'Die krijgt honderd klanten per dag. We vragen gewoon of de camera van Feije is gebracht.'

Roosmarijn moet wel naar binnen, want Halima heeft de deur al open.

Ze zijn niet de enigen, er staan meer klanten in de winkel. Is dit niet belachelijk? denkt Roosmarijn. Ze wil weggaan, maar Halima houdt al een verkoopster aan. 'Ik heb alleen een vraagje.' De vrouw knikt vriendelijk. 'Zeg het maar.' 'Ik wil graag weten of mijn neef de camera al heeft gebracht.' 'Hoe heet hij?' 'Feije,' zegt Halima. Vol spanning ziet Roosmarijn dat de vrouw in het boek bladert. 'Hier zie ik niks staan. Wanneer is dat geweest?' 'Vanochtend,' zegt Halima. De vrouw loopt naar meneer Van der Ploeg. Even later komt ze terug. 'Er is vanochtend niks gebracht. Trouwens, op zaterdag nemen wij geen reparaties aan.' 'Niet?' Er gaat een schok door Roosmarijn heen. Hoe heeft ze zich zo in Sven kunnen vergissen.

12

Sven voelde zich zo somber dat hij naar het strand is gefietst. Als hij aan het eind van de middag terugrijdt, heeft hij een oplossing. Hij gaat zijn vrienden bij het zwembad opwachten. Dan ziet Bart tenminste dat voor hem de vriendschap net zo goed belangrijk is. Hij hoopt dat hij niet te laat is, maar Bart kennende zal dat wel meevallen. Meestal wordt hij er als laatste door de badmeester uit gefloten.

Sven staat al een tijdje te wachten, als zijn vrienden door de draaideur komen.

'Waar slaat dit nou weer op?' vraagt Bart verbaasd.

'Ik moest toch naar De Kom komen? Nou, hier ben ik dan,' zegt Sven doodleuk.

Hij ziet aan Bart dat die het in elk geval waardeert dat hij er staat.

'Waarom wou je nou niet zwemmen?' vraagt Hakim.

'Hij is ongesteld,' zegt Arnout.

Heel leuk, denkt Sven. Hij kijkt naar Bart, maar die is nog steeds verbaasd. 'Hoe lang sta je hier al?'

'Een minuut of tien,' zegt Sven.

'Ik snap er niks van.' Bart loopt naar zijn fiets. 'Wat heb je dan vanmiddag gedaan?'

'Oh, eh...' Sven slaat zijn ogen neer. Hij kan zijn vrienden toch niet vertellen dat hij als een zombie heeft rondgereden.

Omdat Sven zijn mond houdt, begint Hakim te lachen. 'Nou, dat klinkt spannend. Waarom heb je ons niet meegenomen? Zoiets flitsends hadden wij ook wel willen meemaken.'

'Je hebt toch niet stiekem met Annabel en Melissa gechat, hè?' vraagt Arnout. 'Ja, ik heb jou wel door, je wist dat wij er niet waren en dan gauw een afspraakje maken. Maar die twee schoonheden zijn van ons.'

'Hij heeft niet eens tijd voor verkering, ouwe regisseur van me.' Hakim slaat Sven op zijn rug.

'Au!' Het is eruit voordat Sven er erg in heeft. Zijn rug doet ook

97

zo'n pijn. Meteen schaamt hij zich. Wat zullen zijn vrienden van hem denken, dat hij van suiker is of zo?

Wat sta je hier nou als een eikel, denkt Sven. Zeg eens iets leuks tegen je vrienden.

'Hoe gaat het met je film?' vraagt Hakim.

Nee, hè? Waarom moeten ze daar nou per se over beginnen? Sven ziet meteen Roosmarijn voor zich die keihard de deur voor zijn neus dichtknalde.

'Oh, eh... hij is nog niet af,' zegt hij. Dat is zo, dan liegt hij tenminste ook niet.

Maar Bart wordt boos. 'Hij is nog niet af. Nee, dat snappen we. Lekker vaag, zeg. Hoe is het op school? Nou, ik heb mijn examen nog niet gehaald. Zo weet ik er ook wel een paar. Je kunt er toch wel iets over vertellen?'

'Natuurlijk wel.' Sven probeert van alles te bedenken, maar van de spanning komt er niks in zijn hoofd op.

'Ik hoor het al,' lacht Arnout. 'Van jou worden we ook niet echt vrolijk.'

Sven kijkt zijn vrienden aan. Hij voelt zich machteloos. Kon hij maar vertellen wat er allemaal gebeurd is, dan zouden ze hem heus wel begrijpen, maar dat gaat niet. Hij moet iets aardigs tegen ze zeggen, anders snappen ze er niks meer van.

'Hebben jullie lekker gezwommen?' Sven voelt zelf ook dat het een misser is. Hij kan zich wel voor zijn kop slaan.

'Heerlijk,' zegt Bart. 'We hadden een heel goed humeur, tot we jou tegenkwamen.'

'Kom op,' zegt Arnout, 'we gaan iets drinken.' En ze stappen op hun fiets en rijden weg. 'Dag Sven.'

Sven kijkt zijn vrienden na. Menen ze dat? Gaan ze echt iets drinken zonder hem? Of doen ze dit om hem te jennen? Het is niet waar, denkt Sven. Van Arnout en Hakim kan hij het nog wel geloven dat ze hem buitensluiten, maar Bart doet zoiets niet. Hij weet zeker dat Bart zich zo omdraait en hem komt halen. Vol spanning volgt Sven het rode jack van Bart. Toe dan, denkt Sven, draai je dan om. Maar als Bart de hoek omslaat is het duidelijk. Hij heeft het bij zijn vrienden verknald.

'Weet je nou al wat je doet vanavond?' vraagt Halima als ze het warenhuis uitkomen. 'Of denk je toch alleen maar aan Sven.' 'Dat mocht hij willen.' Roosmarijn is nog steeds kwaad. 'Ik wil nooit meer aan die jongen denken. Bah, wat kan die liegen. Ik zie hem nog zo voor de deur...'

'Begin nou niet weer.' Halima legt haar hand op Roosmarijns mond. 'Ik vroeg je iets, weet je nog?'

'Oh ja.' Roosmarijn wil antwoord geven, maar blijft dan verschrikt staan.

'Wat is er?' vraagt Halima.

'Daar heb je die engerd!' Roosmarijn pakt haar vriendin bij haar arm en trekt haar een winkel in.

'Welke engerd?'

Roosmarijn ziet spierwit. 'Bob...'

Halima tuurt de straat door. 'Roos, het spijt me, maar je bent paranoia aan het worden. Er komt wel een man met blonde krullen aan, maar dat is Bob niet.' Als Roosmarijn haar niet gelooft, dringt ze aan: 'Kijk dan!'

Met een angstig gezicht kijkt Roosmarijn door de etalageruit. Halima heeft gelijk, het is een ander.

'Je trilt helemaal.' Halima slaat bezorgd een arm om haar vriendin heen.

'Ik voel me zo vernederd... Gek, hè?' zegt Roosmarijn. 'Nou begin ik weer te huilen. Ik ga nooit meer naar wiskunde. Nooit meer.'

'Rustig maar,' zegt Halima.

'Echt niet, hoor,' snikt Roosmarijn. 'Dan sturen ze me maar van school, dat kan me niks schelen.'

'Je wordt niet van school gestuurd. Ik geloof je toch en Sven ook. Oh help, wat heb ik gezegd...?'

Nu moet Roosmarijn toch lachen.

'Zullen we iets drinken? We zitten twee tellen lopen van ons kroegje af. Gaat het weer?' vraagt Halima als ze voor het café staan.

'Het is al over,' zegt Roosmarijn.

Halima tuurt door de ruit naar binnen. 'Ik dacht hun fietsen al te herkennen. Bart, Hakim en Arnout zijn er.' En ze stapt naar binnen.

'Wat zien jullie er serieus uit,' zegt Halima.

'Inderdaad, Bart heeft een probleem.' Arnout kijkt er heel ernstig bij.
'Waarom zeg je dat nou, man.' Bart stoot zijn vriend geërgerd aan.
'Dat hoeven die meiden toch niet te weten?'
Nu wordt Halima juist nieuwsgierig. 'Je kunt het mij best vertellen, hoor.' Ze pakt een stoel en gaat bij de jongens zitten.
'Eigenlijk kun je het wel vertellen,' zegt Hakim. 'Zij hebben toch ook les van haar.'
'Nee.' Bart schudt beslist zijn hoofd. 'Ik wil niet dat de hele school het te weten komt.'
Halima en Roosmarijn kijken elkaar aan. Dit is niet zomaar iets.
'Ik vind dit flauw, hoor,' zegt Halima. 'Jullie kunnen het toch wel gewoon vertellen. Misschien kunnen we je helpen, Bart.'
'Is het jullie niet opgevallen dat Bart laatst niet bij geschiedenis was?' vraagt Arnout.
'Nee,' zegt Roosmarijn. 'Heb je soms ruzie met De Raaf?'
Bart zucht. 'Was het maar ruzie. Ik weet nog steeds niet waarom ze per se mij moest hebben.'
'Dat snap je toch wel,' zegt Hakim. 'Omdat jij het al hebt, eh... ik bedoel had.'
'Wat had Bart?' vraagt Halima.
'Borsthaar,' zegt Hakim. 'Het was er maar een, maar hij was er hartstikke trots op.'
'Ik snap niet wat dat met De Raaf te maken heeft,' zegt Roosmarijn.
'Misschien was het ook wel mijn eigen schuld,' zegt Bart.
'Dat vind ik onzin. Je mag je overhemd toch wel een stukje open hebben,' zegt Hakim.
'En toen?' vraagt Halima.
'En, eh... toen zat De Raaf aan mijn borsthaar. Van schrik heb ik hem eruit getrokken.'
Nu heeft Roosmarijn het door. Het is een grap, alleen omdat zij over Bob heeft verteld... Ze wil er iets van zeggen, maar ze is bang dat ze dan moet huilen.
Halima wordt kwaad. 'Denken jullie nou echt dat jullie leuk zijn? Het is hartstikke erg wat Bob Roosmarijn heeft geflikt, maar daar zijn jullie nog te klein voor.'
'Je kunt toch wel tegen een geintje,' zegt Bart.

'Nee,' zegt Halima. 'Dit is geen geintje. Denk nou eens na, man.'
'Luister.' Bart buigt naar Roosmarijn toe. 'Vertel ons nou nog eens precies wat Bob deed.'
Maar daar heeft Roosmarijn echt geen zin in. 'Ik denk er niet over. Je wilde het toch niet geloven? Nou, dan niet.'
'Laten we het gezellig houden.' Arnout ziet ook in dat het flauw was en wil het goedmaken. 'Hoe gaat het met de film?'
Op die vraag zit Roosmarijn helemaal niet te wachten. 'Perfect,' zegt ze om ervan af te zijn.
'Dat weten jullie toch? Sven heeft vast wel verteld dat ze verkering hebben.' Halima heeft zin om de jongens terug te pakken. Het werkt wel. Bart wordt knalrood. 'Sven heeft helemaal niks verteld.'
Arnout en Hakim zijn beledigd. 'Dat we dat van jullie moeten horen. Daar ben je nou vrienden voor.'
Roosmarijn en Halima hebben er lol in. Voordat de jongens door kunnen vragen, stappen ze gauw op.
'Waarom gaan jullie nu al weg?' vraagt Bart.
'We moeten nog een boodschap doen,' zegt Halima. 'We moeten plantenvoeding kopen. Dat nemen we maandag voor je mee, dan gaat je ene borsthaar weer groeien.' En ze lopen lachend weg.
'En nu kom je er niet meer onderuit,' zegt Halima als ze buiten staan. 'Ik moet het weten. Ga je vanavond naar Lennart of niet?'
'Dat is wel het laatste waar ik nu zin in heb.' Roosmarijn snapt niet hoe Halima het nog kan vragen.
'Je moet wel gaan,' zegt Halima. 'Alleen voor mij. Ik wil weten hoe hij me vindt. Je moet een goed woordje voor me doen. En dan is het meteen duidelijk dat jij niet verliefd op hem bent. Anders zou je ons toch nooit proberen te koppelen? Ah Roos, doe het voor je vriendin.'
'En als hij je nou ziet zitten?' vraagt Roosmarijn.
'Dan bel je me meteen op,' zegt Halima.
Roosmarijn moet lachen. Ze ziet Halima vanavond al voor zich. Op haar kamer, met haar gsm in haar hand.

Met een zwaar gevoel rijdt Sven naar huis. Als hij de straat in fietst, ziet hij van een afstand zijn vader met Lennart uit de auto stappen. Hij hoort ze lachen. Zijn vader slaat een arm om Lennart heen. Sven kijkt ernaar en voelt zich ineens heel eenzaam. Waarom doet zijn vader dat nooit bij hem? Hij heeft geen zin om naar huis te gaan en hij keert om en rijdt weg.

Sven denkt aan een paar jaar geleden toen hij van scouting afging. Zijn vader nam het hem hoogst kwalijk. Ze hadden de ene ruzie na de andere. Het liep zo hoog op dat Sven naar zijn oma is gegaan. En dat doet hij nu weer.

Een kwartier later belt hij bij zijn oma aan. Het duurt even, maar dan wordt er opengedaan. Oma ziet aan Sven dat het helemaal mis is. 'Jongen, wat is er aan de hand? Kom gauw binnen.'

Sven had bedacht wat hij allemaal tegen zijn oma zou zeggen, maar nu het zover is kan hij alleen maar huilen.

'Ga maar even rustig zitten, dan haal ik wat te drinken voor je.'

Oma duwt hem zachtjes de kamer in. Even daarna komt ze binnen met een glas cola. Ze gaat tegenover Sven aan tafel zitten. 'En vertel me nou maar eens rustig wat er gebeurd is.'

'Papa verpest alles voor me,' begint Sven. 'Roosmarijn heeft me weggestuurd. Ik ben hartstikke verliefd op haar, daarom heb ik bedacht om samen een film te maken. En nou heeft papa mijn camera verstopt. En mijn vrienden zijn ook kwaad op me, omdat ik niet mee ging zwemmen. Ik wou heel graag, maar het is papa's schuld dat ik niet meekon.'

'Waardoor kon je dan niet zwemmen?' wil oma weten.

'Hierdoor.' Sven houdt zijn T-shirt omhoog. Hij snapt niet waarom zijn oma niks zegt, maar als hij haar aankijkt schrikt hij. 'Huil je om mij, oma?'

Oma knikt verdrietig. 'Maar ik huil ook om je vader.'

Sven kijkt zijn oma aan. Waarom moet ze om zijn vader huilen? Alsof die zo zielig is.

Oma pakt Svens hand. 'Dat jij dit nou ook allemaal moet meemaken.'

'Hoe bedoelt u?' vraagt Sven.

Oma roert zenuwachtig in haar thee. 'Eh... niks jongen. Vergeet maar wat ik heb gezegd.'

Sven zit op zijn kamer. Het bezoek aan zijn oma heeft het allemaal nog ingewikkelder gemaakt. Waarom moet hij vergeten wat ze zei? Hij neemt zich voor er niet meer over te denken. Hij komt er toch niet achter en van al dat gepieker wordt hij heel onrustig. Hij kan zich beter op Roosmarijn concentreren. Het moet goed komen. Er is maar een manier om dat voor elkaar te krijgen. Het is niet gemakkelijk, maar het zal toch moeten. Hij zal eerlijk tegen haar moeten zijn. Hij gaat haar schrijven waarom hij zijn camera niet bij zich had. Hij vindt het vreselijk om zijn geheim te moeten verklappen, maar Roosmarijn verliezen is nog erger. Hij pakt zijn pen en begint te schrijven. Na een kwartiertje leest hij het over. Waardeloos. Hij propt de brief in elkaar. Zo is het veel te zielig. Het moet anders, en hij begint opnieuw. Na een uur zit zijn prullenbak vol half afgeschreven brieven. Het gaat gewoon niet. Hoe hij het verhaal ook opschrijft, hij komt er als een stakkertje uit. Daar wordt toch niemand verliefd op? Kan hij het haar niet beter vertellen? Maar ja, dan zal ze wel naar hem moeten luisteren. Als het net zo gaat als vanochtend... Sven snapt nog steeds niet waarom ze zo kwaad werd. Misschien krijgt ze achteraf spijt. Je weet maar nooit. Dat merkt hij dan maandag vanzelf wel. Als ze niet naar hem toe komt om het goed te maken, dan gaat hij bij haar langs en dan blijft hij net zolang tot ze het heeft begrepen. Het kan toch niet zomaar over zijn? Sven denkt terug aan die keer dat ze voor Pierre opkwamen. Het was zo'n goeie sfeer! Het heeft nog geholpen ook. Van Pierre hoorde hij dat ze hem sindsdien niet meer hebben gepest. Dat hebben zij samen toch maar even voor elkaar gekregen. Het mag niet, het mag gewoon niet voorbij zijn. Sven denkt aan vroeger. Als hij wilde dat iets goed kwam dan vroeg hij het altijd aan de maan. Hij gaat voor het raam staan en kijkt naar de maan. Nee, zo eenvoudig is het niet, denkt hij. Hij zal het helemaal zelf moeten oplossen. Ineens staat zijn hart stil. Droomt hij? Of is het echt Roosmarijn die daar rijdt. Sven knijpt in zijn hand. Au, hij is klaarwakker. Ze is het echt! Roosmarijn komt naar hem toe. Zie je wel, ze komt het goedmaken. Sven kan van blijdschap wel door de ruit springen. Met een stralend gezicht ziet hij hoe Roosmarijn haar fiets tegen het hek zet en het tuinpad oploopt. Wat staat hij hier nog? Hij moet naar haar toe. Sven springt op. Hij hoort de bel. In een tel staat hij op de gang. Als hij halverwege de trap is, ziet hij zijn vader naar de deur lopen. Laat hij haar maar opendoen, denkt Sven. Dan ziet hij Roosmarijn. Sven kijkt trots naar zijn vader. Die verwacht natuurlijk nooit dat Sven zo'n mooie vriendin heeft. Vol spanning ziet hij dat de deur opengaat.

'Aha, daar hebben we Roosmarijn,' hoort hij zijn vader zeggen. 'Kom binnen, meid. Je weet dat Lennart op tijd naar bed moet, maar je mag hem wel even gedag zeggen. Lennart, je vriendin is er.' Sven verbleekt. Hij kan zijn ogen niet geloven. Wat gebeurt hier? De deur van de kamer gaat open.

'Hoi,' zegt Lennart, 'gezellig dat je er bent.' Hij loopt naar Roosmarijn toe, geeft haar een zoen en neemt haar mee de kamer in.

13

Alsof hij levend uit een verongelukte auto is gekropen, zo voelt Sven zich als hij maandagochtend voor het raam van zijn kamer staat. Hij kijkt naar Lennart die op zijn fiets wegrijdt.

Je hebt er goed over nagedacht hoe je het moest doen, Lennart, denkt Sven. Het begon met kleine pesterijen: mijn trui uitlenen, mijn Nikes inpikken, mijn fiets. Toen mijn camera en als laatste heb je het mooiste van me afgenomen dat ik had: Roosmarijn. Je hebt me kapotgemaakt, helemaal. Heb je nu je zin?

Svens hoofd glijdt langzaam langs de ruit omlaag. Gisteren dacht hij nog dat hij moest vechten om overeind te blijven. Dat wilde hij ook. Maar voordat hij wist dat de strijd was begonnen had hij al verloren. Het is als bij een partijtje schaak, wanneer je koning door één slimme zet wordt omgegooid. Wanhopig laat Sven zich op zijn bed vallen. Hij voelt zich ziek en trekt zijn dekbed over zich heen.

Op de gang klinken voetstappen. Zijn moeder doet de deur van zijn kamer open. 'Je had allang beneden moeten zijn. Je komt te laat op school.'

'Ik ga niet naar school,' zegt Sven. 'Ik blijf thuis.'

'Dat kan niet zomaar,' zegt moeder. 'Je bent toch niet ziek? Je moet van je vader naar school. Kleed je snel aan.'

'Nee. Ik blijf hier.'

'Waarom doe je dit nou?' Svens moeder knippert zenuwachtig met haar ogen. 'Zo meteen hebben we weer een huis met herrie. Wat heb je daar nou aan? Je weet hoe je vader is.'

Sven zegt niks meer en blijft liggen.

'Dan moet je het zelf maar weten.'

Een paar minuten later hoort Sven zijn vader de trap opstormen. Hij kruipt weg onder zijn dekbed.

'Hoe zit dat?' Vader schuift ruw de gordijnen open. 'Het is geen vakantie hoor. Kom je nest uit.'

Sven blijft liggen. 'Ik voel me niet lekker, ik wil thuisblijven.'

'Wat bezielt jou?' Vader kijkt naar Sven of hij gek is geworden. 'Zaterdagavond heb je ook al de hele avond op je kamer gehangen. Je hebt niet eens de moeite genomen om de vriendin van je broer gedag te zeggen. Kom uit je bed! Ik snap niet wat je hier al die tijd doet.' Wantrouwig inspecteert Svens vader de kamer. Zijn ogen blijven rusten op de prullenbak. 'Ach, kijk nou eens, je bent dichter geworden?' Hij pakt een prop papier uit de prullenbak en vouwt hem open. Sven staat meteen naast zijn bed. Dat is een van de brieven die hij aan Roosmarijn heeft proberen te schrijven. 'Geef hier, pap, dat mag je niet lezen.' Maar zijn vader heeft niks met Sven te maken. Zijn ogen schieten over de regels. 'Dus hier ben jij mee bezig. Lasterbrieven schrijven aan de vriendin van je broer.' Sven voelt dat het misgaat. Hij wil wegrennen, maar zijn vader gaat voor de deuropening staan. 'Dat mocht je willen. Hier jij!' Hij grijpt Sven bij zijn haar. 'Je bent echt slecht, hè? Alles van je broer wil je kapotmaken. Eerst jat je die band uit de camera en nu dit!'

'Dat is niet zo,' zegt Sven. 'Echt niet.'

'En mij de zwartepiet toespelen, hè, alleen maar om jezelf zielig te maken.' Hij sleurt Sven aan zijn haren de kamer door. 'Als je zo nodig zielig wilt zijn, dan kan dat.' En hij smijt Sven in een hoek. Sven voelt de slagen in zijn gezicht. 'Papa, niet doen!' schreeuwt hij. Hij houdt zijn handen angstig voor zijn gezicht. Zijn vader probeert ze weg te trekken en als dat niet lukt begint hij te schoppen. Sven krimpt van de pijn in elkaar. Zijn maag! Maar zijn vader trapt door. 'Ik zal je... stoker die je bent...'

Als het eindelijk rustig wordt, heeft Sven het gevoel of zijn maag in zijn keel zit. Hij hoort zijn vader de trap afgaan, maar hij staat niet op. Zijn maag, alles doet hem pijn. Hij voelt bloed uit zijn neus op zijn hand druppen, maar dat kan hem niet schelen. Hij wil niet meer overeind komen, nooit meer.

'Ga nog harder trappen,' zegt Halima als ze samen met Roosmarijn naar school fietst. 'Wat heb jij een bui, zeg! Komt dat door zaterdagavond?'

'Nee, het was leuk, nou goed?' zegt Roosmarijn. 'De hele avond opgeprikt bij die ouders op de bank. Ik weet niet of je het snapt, maar ik had een missie. Ik zou zeggen dat ik niet verliefd op hem was.'

'En je zou mij aanprijzen,' zegt Halima.

'Precies,' zegt Roosmarijn. 'Nu moet ik zeker nog een keer.'

'Zo erg is dat toch niet?' zegt Halima.

'Oh nee?' Roosmarijn fietst zo wild het schoolplein op dat ze bijna een brugger aanrijdt. 'Het zit me gewoon niet lekker, hij had gezegd dat hij alleen thuis was.'

'Misschien ging die afspraak van zijn ouders plotseling niet door.'

'En van Sven zeker ook niet.' Roosmarijn kwakt haar fiets tegen de muur.

'Was Sven dan thuis?'

'Zijn fiets zag ik in elk geval wel en toen ik wegging stond hij er nog steeds.'

'Waarom heb je dan niet aan Lennart gevraagd hoe dat zat?' zegt Halima.

'Alsof je iets kan vragen met die ouders erbij.' Roosmarijn duwt haar slot met zoveel kracht omlaag dat het sleuteltje eruit schiet en een meter verder op de grond valt. 'Ik baal er gewoon van.' Roosmarijn raapt haar sleuteltje op en wil weglopen, maar Halima pakt haar vast.

'En nu ga je mij vertellen wat er echt aan de hand is. Je kunt mij niet wijsmaken dat dit allemaal komt doordat die ouders thuis waren. Zo nodig hoefde jij niet alleen met Lennart te zijn.'

'Oké.' Roosmarijn zet haar rugtas op de grond. 'Je hebt gelijk, er is iets anders.' Ze kijkt om zich heen of Sven er niet toevallig aankomt. 'Ik had een heel raar gevoel over die avond en dat gaat niet over.'

'Wat voor gevoel?'

Roosmarijn haalt haar schouders op. 'Ik vertrouw het niet. Ineens zo'n kleffe zoen toen ik binnenkwam, het leek wel gespeeld en Lennart had de hele tijd zo'n raar lachje. Ik weet het niet.'

'Je denkt te veel na,' zegt Halima.

Roosmarijn zucht. Misschien heeft Halima wel gelijk, maar lekker zit het haar niet. 'Zou, eh... zou Lennart wel eerlijk zijn? Ik bedoel: de dingen die hij over Sven heeft verteld...'

Halima lacht haar uit. 'Nee, Sven is eerlijk, nou goed? Ligt zijn camera bij Van der Ploeg? Nee dus. Waarom mocht Lennart niet weten dat jullie filmden?'

Roosmarijn weet dat Halima gelijk heeft, maar het gevoel blijft. 'Ik krijg er wat van.'

'Sorry hoor,' zegt Halima. 'Dat doe je allemaal zelf. Nou denk je weer dat Lennart niet eerlijk is. Zo word je wel gek. Weet je wat wij doen? We houden er lekker over op. Ander onderwerp. Heb jij je Frans geleerd?'

'Waarom zou ik?' Roosmarijn hangt haar jas aan de kapstok. 'Daar heb ik straks een heel uur de tijd voor.'

'Straks?'

'Ik ga niet naar wiskunde, weet je nog?'

'Dat kan toch niet,' zegt Halima. 'Ga nou maar. Ik blijf gewoon de hele tijd bij je.'

'Oh nee,' zegt Roosmarijn beslist. 'Ik heb nog steeds nachtmerries van die kerel. Ik ga in de aula zitten.'

'Het hele jaar?' vraagt Halima.

'Wie weet. Ik zie wel.'

'Toe nou,' zegt Halima. 'Ik blijf bij je. Ik laat niks vallen, beloofd?'

Roosmarijn aarzelt. Als ze wel gaat, voorkomt ze een heleboel gezeur. 'Oké.' En ze loopt met Halima mee. Als ze de gang naar het wiskundelokaal ingaan, wordt ze heel trillerig, maar toch zet ze door. Tot ze Bob bij de deur ziet staan en de paniek toeslaat.

'Ik doe het niet.' Roosmarijn blijft staan. 'Ik ga niet naar die vent.' Voordat Halima haar kan overhalen, draait ze zich om en loopt terug. Angstig kijkt ze om. Hij volgt haar toch niet? Voor ze de hoek omslaat, kijkt ze nog een keer om, maar de deur van het wiskundelokaal is al dicht.

Roosmarijn gaat gauw de aula in. Haar vingers trillen nog als ze haar Franse boek openslaat.

Ze zit zo hard te werken dat ze niet merkt dat meneer Hazelman de aula inkomt.

'Ben je eruit gestuurd?'

Roosmarijn schrikt op. 'Nee eh...' Ze heeft niet meteen een antwoord klaar.

'Wat heb je voor les?'

'Wiskunde,' antwoordt Roosmarijn.

'En jij dacht: daar ben ik zo goed in, ik kan mijn...' Meneer Hazelman kijkt op haar werk. '...mijn Frans wel gaan leren.'

'Nee,' zegt Roosmarijn. 'Dat dacht ik helemaal niet.'

'Mag ik dan weten waarom je de les van meneer Van der Steen niet volgt?'

'Ik wil gewoon niet naar wiskunde.' Roosmarijn snapt zelf ook wel dat het een raar antwoord is.

'Zo gewoon is het anders niet,' zegt Hazelman. 'Kun je mij dat uitleggen?'

'Nee,' zegt Roosmarijn. 'Ik ga niet meer.'

'Heb je ruzie met meneer Van der Steen?'

Was dat maar waar, denkt Roosmarijn. Een ruzie is zo opgelost. Opnieuw voelt ze de hand van Bob over haar borst gaan. 'Ik, eh... ik wil er niet over praten.' Ze voelt dat ze vuurrood wordt.

'Dat kan natuurlijk niet.' Meneer Hazelman blijft vriendelijk. 'Je bent verplicht alle lessen te volgen. Je moet een erg goede reden hebben om je daar niet aan te houden.'

'Ik heb een goeie reden.' Voor Roosmarijns gevoel knalt haar hoofd bijna uit elkaar.

'Dan wil ik die van je weten,' zegt Hazelman.

Roosmarijn bijt op haar lip om haar tranen tegen te houden. Wat moet ze nou? Ze schaamt zich zo voor wat er is gebeurd dat ze het niet durft te zeggen.

'Denk er maar goed over na, voor morgen wil ik antwoord op mijn vraag.' En Hazelman loopt weg.

Roosmarijn voelt zelf ook wel dat dit zo niet kan. Of ze moet vertellen wat er is gebeurd of ze moet weer naar de wiskundeles gaan. Ze wil het geen van beide. Nu voelt ze pas goed hoe erg ze in de problemen zit.

'Ik hoef toch niet nog een keer boven te komen, hè? Naar school jij!' hoort Sven zijn vader onder aan de trap schreeuwen.

Sven wordt bang. Zijn vader slaat hem nog eens dood. Zijn maag... Kreunend komt hij overeind. Hij doet zijn T-shirt omhoog. Zijn borst zit vol rode plekken. Hij durft bijna niet in de spiegel te kijken, maar het valt gelukkig mee. Zo te zien heeft hij zijn gezicht goed weten te beschermen. Alleen zijn lip is dik. Hij doet expres een donkerblauw T-shirt aan zodat de plekken en de striemen er niet doorheen schijnen.

Als hij beneden komt, duwt zijn moeder hem een paar boterhammen in de hand. 'Ga maar gauw, eet onderweg maar op.' Het is duidelijk dat ze Sven zo snel mogelijk weg wil hebben, zodat er niet weer ruzie kan komen.

Sven stapt op zijn fiets. Elke beweging doet hem pijn en hij heeft het koud. Hij ritst zijn jas dicht, maar dat helpt niet. Ook als hij sneller gaat fietsen wordt hij niet warm. En als hij eraan denkt dat hij straks Roosmarijn ziet, krijgt hij het nog kouder.

De lessen zijn allang begonnen als hij het schoolplein oprijdt. Ja hoor, Roosmarijn is er. Vlak bij de ingang van de fietsenstalling ziet hij Roosmarijns fiets tegen de muur staan. Hij vindt de confrontatie moeilijk. Hij hoeft van niemand steun te verwachten, ook niet van Bart. Kon hij maar omdraaien en weggaan, maar dat durft hij niet. Het zou hem niks verbazen als zijn vader Hazelman opbelt om te vragen of hij niet heeft gespijbeld.

Met tegenzin loopt hij de school in en doet de deur van de klas open.

Waar hij al bang voor was, gebeurt ook. Als zijn vrienden zijn dikke lip zien, beginnen ze te lachen. 'Nou nou, dat was een heftige zoenpartij dit weekend. Je mag wel oppassen met Roosmarijn.'

Iedereen moet lachen en Bob lacht nog het hardst.

'Je mag zeker wel uitkijken, Sven,' zegt hij tot overmaat van ramp. 'Dit is nog maar je lip. Je snapt wat ik bedoel, hè?'

Ja, ik snap je heus wel, denkt Sven. Viezerik, hou liever je mond. Alle woede komt in een klap boven. Van zijn vader die hem heeft geslagen. Van Lennart die Roosmarijn heeft ingepikt en van zijn moeder die nooit voor hem opkomt.

Bob merkt dat Sven het niet zo leuk vindt. 'Je kunt toch wel tegen een grapje? Ben jij nou een kerel?' Hij legt zijn hand op Svens schouder.

Sven wordt razend. 'Afblijven!'

'Nou nou,' zegt Bob.

'Ik dacht dat jij alleen aan meisjes zat,' zegt Sven.

Het is alsof er een bom in de klas valt.

Bob doet alsof hij er niets van begrijpt.

'Wat kijk je nou?' schreeuwt Sven. 'Je vindt het toch zo lekker je leerlingen aan te raken? Maar van mij blijf je af.'

'Waar doel jij op, jongen?' Sven heeft Bob nog nooit zo kwaad gezien, maar het kan hem niks schelen. Niks kan hem meer schelen. Alles is toch een puinhoop, zijn hele leven. Iedereen die nu nog iets doet wat hem niet bevalt, kan hem krijgen.

De spanning in de klas is om te snijden. Niemand zegt iets.

'Waar ik op doel?' vraagt Sven. 'Moet je dat nog vragen? Dat jij je handen niet kunt thuishouden, daar doel ik op.'

Bob wordt spierwit. In een paar passen staat hij bij de deur en gooit hem open. 'Eruit jij!' Zijn stem slaat over. 'En voorlopig hoef ik je hier niet meer te zien.'

'Mij best.' Sven pakt zijn tas en loopt de klas uit.

14

Zodra de bel gaat, pakt Roosmarijn haar spullen in. Ze moet Halima vertellen dat Hazelman is langsgekomen. Maar Halima komt al met een opgewonden gezicht de aula in. 'Je raadt nooit wat er bij wiskunde is gebeurd.'
'Jij raadt nooit wat hier is gebeurd. Kom mee, het gaat niemand iets aan.' Roosmarijn neemt Halima mee naar buiten.
'Weet je wat Sven heeft gezegd?' begint Halima als ze bij de fietsenkelder staan.
'Nee, en dat hoef ik ook niet te weten.' Roosmarijn is blij dat ze even niet aan hem heeft gedacht.
'Dit wil je wel weten,' zegt Halima.
Roosmarijn begrijpt er niks van. 'Zie je nou zelf niet wat je doet? Eerst zeg je vanochtend dat ik mezelf opfok, dat ik niet meer aan Sven moet denken. Dat lukt me aardig en dan begin jij erover.'
'Het is heel belangrijk,' zegt Halima.
'Weet je wat belangrijk is?' vraagt Roosmarijn. 'Dat ik Sven helemaal vergeet. Vertel het me later maar, als ik eroverheen ben.'
Halima zucht. 'Je snapt het niet, luister nou...'
Nu wordt Roosmarijn kwaad. 'Je moet naar mij luisteren. Ik zit hartstikke in de problemen.'
'Hoezo?'
'Hazelman heeft me betrapt. Hij kwam ineens de aula in.'
'Oh, help.' Halima ziet het al helemaal voor zich. 'En toen zat jij daar uitgebreid je Frans te leren. Wat heb je gezegd?'
'Niks,' zegt Roosmarijn. 'Of eigenlijk wel. Dat ik niet meer naar wiskunde wou.'
'Heb je dat echt gezegd?' vraagt Halima.
Roosmarijn knikt. 'En nu moet ik hem straks vertellen waarom niet.'
Halima is er stil van. 'Hij zal raar opkijken als hij het hoort. Ik vind het wel dapper van je.'
'Dapper?' zegt Roosmarijn. 'Je denkt toch niet dat ik het ga vertellen.'

'Wat wou je dan zeggen?'
'Als ik dat wist, hoefde ik er niet met jou over te praten. Jij hebt altijd van die goeie ideeën. Je moet iets voor me verzinnen.'
Halima schudt haar hoofd. 'Dat vind ik dus grote onzin. Het wordt tijd dat Hazelman weet hoe Bob is. Als jij het niet durft, dan ga ik wel naar hem toe. Ik doe het zo, hoor.'
Dat weet Roosmarijn ook wel, maar ze moet er niet aan denken.
'Dat wil ik helemaal niet.'
'Dan gaan we samen,' zegt Halima beslist. 'Echt waar, ik meen het.'
Roosmarijn aarzelt. 'Denk je dat hij me gelooft?'
'Hij zal toch niet denken dat je dat zomaar verzint,' zegt Halima.
'Dat zeg jij. Ben je soms vergeten hoe de klas reageerde?' vraagt Roosmarijn.
Halima haalt haar schouders op. 'Nou, dan gelooft hij je niet, dat is dan zijn zaak. Hij wil toch weten waarom je die lessen niet meer volgt?'
Roosmarijn vindt dat Halima er wel erg makkelijk over denkt. Zo meteen wordt ze nog van lasterpraatjes beschuldigd. Ze heeft eigenlijk nog geluk gehad dat haar verhaal niet is uitgelekt. Bob is razend populair. Als hun eigen klas al kwaad wordt, wat heeft ze dan van de rest van de school te verwachten?
'Het is misschien het beste dat ik weer gewoon naar wiskunde ga, dan ben ik overal van af.'
'En wat zeg je dan tegen Hazelman?'
'Dat ik mijn Frans wilde leren.'
Halima tikt op haar voorhoofd. 'Je bent gek. En zeker de ene nachtmerrie na de andere krijgen. Nee Roos, wij gaan vanmiddag samen naar Hazelman.'
Dat zien we nog wel, denkt Roosmarijn.

'Hoeveel middagen moet je terugkomen?' vraagt Bart als Sven de aula inkomt.
'Weet ik het. Hazelman was in bespreking. Hij weet niet dat ik eruit ben gestuurd.'
'Nou, bereid je maar voor op het ergste,' zegt Arnout. 'Je hebt wel

iets aangericht. Bob was woedend. Hij maakte de ene blunder na de andere. Dan weet je het wel, dat gebeurt hem nooit.'
Sven haalt zijn schouders op. 'Fijn voor hem.'
'Ik snap het best als hij je niet meer in de les wil hebben,' zegt Bart. 'Heb je zelf nou helemaal niet door wat je hebt gedaan? Je hebt hem van iets heel ergs beschuldigd, hoor. Dat zou ik ook niet pikken.'
Sven heeft geen medelijden met zijn wiskundeleraar. 'Dan moet hij zijn poten maar thuishouden.'
'Doe niet zo naïef, man,' zegt Hakim. 'Alleen omdat Roosmarijn het zegt. Ze wil gewoon aandacht van je, dat is toch duidelijk. En jij trapt er nog in ook.'
'Ja,' zegt Arnout. 'Straks is het uit en lacht zij zich rot. Dan blijf jij zitten omdat je een één voor wiskunde hebt.'
'Hoe bedoel je: uit?' vraagt Sven. 'Het is nooit aan geweest.'
Nu worden Hakim en Arnout echt kwaad. 'Dag Sven, neem een ander in de maling.'
Bart is ook beledigd. 'Ik dacht dat we vrienden waren. Nou, een fijne vriend ben jij. Je verzwijgt alles voor me. Ga maar lekker naar de film met je meisje. Kom op, jongens.' En ze lopen de aula uit.
Sven staat midden in de aula. Hij heeft het gevoel dat iedereen naar hem kijkt. Wat moet hij nu doen? In elk geval kan hij hier niet in zijn eentje blijven staan. Sven zucht. Hij weet helemaal niet meer wat hij moet.

Als Sven de klas inkomt, ziet hij dat Bart achterin is gaan zitten. Hij schrikt ervan. Ze hebben wel eens vaker ruzie gehad, maar dan wisselde Bart nooit van plaats. Het betekent dat hij dus echt op hem is afgeknapt. Wat een toestand. Sven kan het opeens niet meer aan. Hij is zo in de war, dat hij niet meer weet wat voor les ze hebben. Pas als mevrouw Mijman binnenkomt weet hij het weer. Ze hebben Engels.
Vanuit zijn ooghoeken gluurt hij naar Roosmarijn. Hij wou dat hij boos op haar kon zijn, dat hij haar haatte, dan zou hij haar makkelijk kunnen vergeten. Maar dat lukt hem nooit. Hij vindt haar nog steeds even lief. En mooi!

De les is nog maar net begonnen als de deur van de klas opengaat. 'Mevrouw Mijman, mag ik u even storen?' Meneer Hazelman kijkt de klas in. 'Sven Feije, wil je meekomen?' Sven merkt dat zijn klasgenoten beginnen te smoezen als hij opstaat. Hij loopt achter meneer Hazelman de gang in. Als ze bij zijn kamer komen, houdt de rector de deur voor hem open en wijst naar een stoel die aan de andere kant van het bureau staat. Sven gaat zitten. Hij weet nu al dat het geen gezellig gesprek gaat worden. De rector is duidelijk kwaad. De stoom slaat bijna van hem af.

'Ik ben heel wat gewend, Sven,' begint hij. 'Het is niet de eerste keer dat er een leerling de klas uit wordt gestuurd. De misstappen variëren van geen huiswerk hebben gemaakt tot een brutale mond, maar de reden waarvoor jij hier zit is zeer schokkend.' Even speelt hij met zijn pen en dan kijkt hij Sven aan. 'Is het waar dat jij meneer Van der Steen hebt beschuldigd van ongewenste intimiteiten?'

Sven knikt. 'Dat klopt.'

Het korte antwoord schiet meneer Hazelman duidelijk in het verkeerde keelgat. 'Schaam je je daar niet voor?'

'Nee,' zegt Sven beslist.

Hazelman vliegt op. 'Wat denk jij wel? Dat je je alles kunt permitteren? Waar ben je op uit? Je maakt blijkbaar wel vaker van zulke opmerkingen. Aan je lip te zien is het in het weekend ook op een vechtpartij uitgelopen. Iemand met deze mentaliteit hoort hier niet thuis. Je zult je excuses moeten maken, jongen.'

'Ik zie niet in waarom,' zegt Sven. 'Het is waar wat ik heb gezegd.'

Meneer Hazelman wordt vuurrood. Hij buigt zich over zijn bureau heen naar Sven toe. 'Wil jij beweren dat je met je eigen ogen hebt gezien dat meneer Van der Steen dingen heeft gedaan die niet door de beugel kunnen?'

'Nee,' zegt Sven.

'Nou, wat wil je dan?'

'Ik heb het gehoord,' zegt Sven.

'Oh, nu heb je het ineens gehoord. En van wie als ik vragen mag?'

'Van, eh...' Sven weet niet of hij Roosmarijns naam moet noemen. Misschien wil ze dat helemaal niet.

'Het lijkt me nu wel duidelijk. Je verzint maar wat. Je haalt met dit soort praat niet alleen je eigen naam, maar ook die van de school naar beneden. Daar til ik heel zwaar aan. Je kunt je jas halen en vertrekken.' Als Sven hem verbaasd aankijkt, zegt hij: 'Ja, je bent geschorst. Ik zal je ouders inlichten.'

Sven schrikt. Als zijn vader te horen krijgt dat hij is geschorst, wordt hij razend. 'Ik, eh... ik weet wel van wie ik het gehoord heb,' zegt hij gauw. 'Van Roosmarijn.'

'Dat is heel min van je, Sven,' zegt Hazelman. 'Roosmarijn zat in de aula omdat ze een meningsverschil had met meneer van der Steen. Dat heeft hij mij net verteld. En daar wil jij misbruik van maken.'

'Helemaal niet,' zegt Sven. 'U kunt het haar zelf vragen.'

'Ik zal het uitzoeken, maar jij vertrekt nu.' Meneer Hazelman loopt naar de deur en houdt hem open.

Met een spierwit gezicht staat Sven op en loopt de directiekamer uit.

Roosmarijn schuift het probleem nog even weg. Aan het eind van de dag hoeft ze Hazelman pas verantwoording af te leggen. In de pauze wil ze beslissen wat ze doet. Maar als ze na de Engelse les langs de directiekamer komt, wordt ze geroepen.

'Roosmarijn, ik heb een vraagje. Jij zat vanochtend in de aula onder de wiskundeles. Ik heb het nagevraagd bij meneer Van der Steen. Hij wist ervan. Volgens hem hadden jullie een klein meningsverschil, klopt dat?'

Heeft Van der Steen gezegd dat ze een meningsverschil hadden? Roosmarijn weet niet wat ze hoort. Dat is handig, dan is ze van Hazelman af.

'Ja,' zegt ze.

'Weet je zeker dat dit de reden is waarom je niet meer naar de les wilde?'

Roosmarijn knikt.

'Er is niets anders?' De directeur kijkt haar aan.

'Nee.' Roosmarijn zegt het zo overtuigend dat meneer Hazelman haar gelooft.

'Dan is het goed, maar ik reken er wel op dat je dat meningsverschil met je leraar oplost.'

'Dat doe ik,' zegt Roosmarijn.

'Goed meid, dan bemoei ik me er verder niet mee.' En de directeur loopt weg.

Opgelucht loopt Roosmarijn door. Ze beseft best dat het niet echt een oplossing is, maar wel voor dit moment. Ze ziet nog wel hoe ze het verder aanpakt.

Ik ben weggestuurd, denkt Sven als hij de school uitloopt. Iedereen stuurt me weg. Arnout, Hakim, Bart, Roosmarijn. Hij heeft het gevoel dat zijn leven elk uur verder afbrokkelt.

Hij pakt zijn fiets en rijdt naar huis. Hij kan zijn stuur niet eens rechthouden, het is alsof hij geen contact meer heeft met zijn lichaam. Alsof hij elk moment de afgrond in kan rijden.

Een fietser belt achter hem dat hij op moet schieten, maar waarvoor zou hij zich haasten? Er is niemand die op hem wacht, helemaal niemand.

Als hij bij de splitsing komt, wil hij het fietspad naar de duinen inslaan. Maar hij doet het toch maar niet. Het is geen goed idee om nu een strandwandeling te maken. Dat doe je als je ergens over wilt nadenken of iets wilt oplossen. Maar wat valt er op te lossen?

Hij weet nu al dat hij de hele tijd aan Roosmarijn gaat lopen denken, net als het afgelopen weekend. Hij gaat zichzelf niet opzettelijk kwellen. Het beeld dat Lennart Roosmarijn zoende heeft hem geen seconde meer losgelaten. Het was ook zo'n schok dat het onder zijn ogen gebeurde. Hij voelde zich zo machteloos. Hij sloeg wanhopig met zijn vuist op zijn kussen, maar ook dat hielp niet. Het is gebeurd, Lennart heeft Roosmarijn ingepikt, dat kan hij niet meer ongedaan maken. Hij moet het van zich afzetten. Hij krijgt Roosmarijn er echt niet mee terug als hij zichzelf gek maakt. Hij kan beter thuis een spannende film kijken, dan worden zijn gedachten tenminste afgeleid.

Sven zet zijn fiets in de schuur en gaat naar binnen. Hij is blij dat er niemand thuis is, dan hoeft hij tenminste geen verantwoording af te leggen.

Als hij naar de videokast loopt om een film uit te zoeken, hoort hij de voordeur opengaan. Zou Lennart vrij hebben? Zijn broer is wel de laatste aan wie hij nu behoefte heeft. Maar het is Lennart niet. Hij herkent de voetstappen van zijn vader. Nog geen tel later wordt de kamerdeur opengegooid. Sven verkrampt. Uit voorzorg houdt hij zijn handen al voor zijn gezicht.

'Je hoeft je niet te beschermen,' zegt zijn vader. 'Je denkt toch zeker niet dat ik mijn handen vuilmaak aan zo'n walgelijk onderkruipsel als jij. Je maakt me misselijk, kotsmisselijk. En ik ben niet de enige die daar last van heeft. Op die school van je weten ze ook niet wat ze met je aan moeten. Vuile sadist! Eerst heb je het hier geprobeerd. Smerige brieven schrijven naar Roosmarijn. Gelukkig heb ik je betrapt, maar dat zieke brein van jou is blijkbaar niet te stoppen. Nu ben je ook al op school begonnen. Roosmarijn zwartmaken hè? Alsof die wiskundeleraar haar zou hebben aangeraakt. Wat was je van plan? Dat meisje kapot te maken of zo? En je broer erbij? Nee, kijk maar niet zo angstig. Ik wil mijn vingers niet meer aan jou besmeuren. Je bent mijn zoon niet meer.'

'Ik heb het niet gelogen, papa, je kunt het zelf aan Roosmarijn vragen. Van der Steen heeft haar lastiggevallen. Een paar keer.'

'Dat hoef ik niet aan Roosmarijn te vragen, dat heeft meneer Hazelman al uitgezocht. Roosmarijn wist van niks.'

Wat...? Heeft Roosmarijn gezegd dat het niet waar is? Sven voelt dat de grond onder zijn voeten wegzakt. 'Maar papa, geloof me dan...'

'Mond dicht. Ik wil je hier niet meer zien. Niet voor de televisie en ook niet aan tafel. Jij bestaat niet meer voor mij. Daar is jouw plek.' Met trillende vingers van woede wijst zijn vader omhoog. Sven kijkt zijn vader aan. Dat kan hij niet menen. Maar zijn vader meent het wel.

'Naar boven, jij!' schreeuwt hij. 'En gauw! En laat ik je hier nooit meer zien.'

15

Het is midden in de nacht, maar Sven is nog steeds wakker. Het was een vreselijke avond. Het leek alsof zijn vader het erom deed. Terwijl Sven boven in zijn eentje in zijn kamer zat opgesloten, hoorde hij beneden aan een stuk door gelach. Hij voelde zich zo eenzaam. Hij zakte steeds verder weg en op het laatst schrok hij van zijn eigen gedachten. Hij vroeg zich af waarom hij nog verder zou leven. Zulke zwarte gedachten had hij nooit eerder. En die wil hij ook niet meer hebben, daarom heeft hij een besluit genomen. Zodra iedereen morgen de deur uit is, pakt hij zijn spullen en loopt weg. Er is één ding dat hij zeker meeneemt en dat is zijn camera. Hij is absoluut niet van plan die achter te laten. Zijn vader heeft hem bijna alles afgenomen, maar van zijn droom, een beroemde regisseur te worden, blijft hij af!

Sven is expres wakker gebleven. Nu het zo goed als zeker is dat zijn ouders slapen, moet hij de sleutel van de kluis te pakken zien te krijgen. Hij sluipt de trap af. Bij de kapstok voelt hij in zijn vaders jaszak. Gelukkig, de sleutelbos zit erin. Sven neemt de bos mee naar boven. Even luistert hij bij de slaapkamerdeur van zijn ouders, maar het is stil. Zachtjes doet hij de werkkamer van zijn vader open. Hij sluit de deur, knipt het licht aan en loopt naar de kluis.

Sven luistert gespannen. Als de kust veilig is, steekt hij de sleutel in het slot. Het deurtje van de kluis gaat open. Daar ligt zijn camera...

Op het moment dat Sven hem wil pakken, gaat er een schok door hem heen. Hij hoort iemand op de gang. Vliegensvlug knipt hij het licht uit. Zou het zijn vader zijn? Als hij de deur van de badkamer hoort dichtgaan, inspecteert hij de gang. Hij ziet Lennarts deur openstaan. Sven wacht tot zijn broer weer in zijn kamer is en pakt dan de camera uit de kluis. Hij aarzelt of hij hem mee naar zijn kamer zal nemen. Stel je voor dat zijn vader er morgenochtend achter komt dat de kluis leeg is, dan raakt hij zijn camera toch nog kwijt. Hij kan hem beter ergens in de tuin verstoppen. Als er dan iets misgaat, kan hij hem later altijd nog ophalen.

Sven neemt de camera mee naar de bijkeuken, doet er een plastic zak om en maakt de tuindeur open. Zachtjes sluipt hij in het donker naar de schuur. Hij schrikt op van gekraak, maar dan merkt hij dat hij zelf op een takje staat. Achter de schuur graaft hij een gat. Als het groot genoeg is, stopt hij zijn camera erin en gooit het weer dicht. Hier vindt zijn vader hem nooit. Tevreden sluipt Sven het huis in. In het voorbijgaan stopt hij de sleutels in zijn vaders jaszak terug. Nu kan hem niks meer gebeuren.

Eenmaal boven kijkt hij zijn kamer rond. Hij pakt zijn knuffelbeer van de plank. Die kan hij niet meenemen. Sven heeft een verdrietig gevoel als hij de beer terugzet. Maar wat moet hij? Bijna alle vertrouwde dingen moet hij achterlaten.

Zijn vader en Lennart zal hij niet missen. Hij vindt het alleen naar voor zijn moeder. Hij weet zeker dat ze er verdriet van zal hebben. Maar als hij hier blijft, gaat het zeker mis en dan heeft ze nog veel meer verdriet. Het is ook haar schuld dat het zo is gelopen. Ze is nooit voor hem opgekomen. Toch is Sven niet boos op zijn moeder. Ze durft nu eenmaal niet tegen zijn vader op. Hij wil haar niet met een schuldgevoel achterlaten, daarom schrijft hij haar een brief waarin hij alles uitlegt.

Sven gaat achter zijn bureau zitten en pakt pen en papier. *Afscheidsbrief*, zet hij erboven.

Het lijkt ineens zo definitief. Sven zucht. Het lijkt niet alleen zo, het is ook definitief. Dan spreekt hij zichzelf toe: Kom op! Dit is nog maar het begin. Er komen veel moeilijkere momenten. Als je dit al niet aankunt, kun je beter blijven zitten waar je zit. Dan weet je tenminste zeker dat er nooit een film van je in de bioscoop komt. Dat toespreken helpt, hij begint meteen te schrijven.

Ook Roosmarijn heeft de halve nacht liggen piekeren. Ze heeft nu wel tegen meneer Hazelman gezegd dat ze een meningsverschil had met Bob, maar wat schiet ze daar nou eigenlijk mee op? Vanmiddag hebben ze wiskunde. Ze kan niet weer in de aula gaan zitten. Reken maar dat de directeur haar in de gaten houdt. Ze zal die les moeten volgen. Het idee dat haar leraar wiskunde misschien weer aan haar zal zitten... Ze rilt bij die gedachte. Ze weet dat het stom is geweest dat ze zich er gisteren zo gemakkelijk van afgemaakt heeft. Het zit haar dan ook helemaal niet lekker. Juist daardoor kan ze het niet hebben als Halima haar dat 's morgens nog eens inwrijft.

'Ik heb erover nagedacht,' zegt Halima. 'Maar ik snap nog steeds niet waarom je het zo oenig hebt aangepakt. Dat je niet naar Hazelman toe wilde, dat begreep ik nog wel, maar nu kwam hij zelf naar jou toe. Hij legde je de woorden bijna in je mond. En jij zegt niks.'

'Ja, begin daar nog even gezellig over. Ik wou dat ik het je nooit had verteld.'

'Oh goed, ik zeg al niks meer.' Halima is ook geïrriteerd. Maar het zit haar blijkbaar zo hoog dat ze er toch weer over begint. 'Het was je kans, Roos. Bob heeft gezegd dat jullie een meningsverschil hadden. Dat betekent toch dat hij zelf ook weet dat hij helemaal fout zit. Die leugen is je bewijs.'

'Hoezo bewijs?' vraagt Roosmarijn.

'Wanneer moet dat meningsverschil zijn ontstaan? In de les natuurlijk. Nou, dan hadden wij er ook van af moeten weten.'

'Laat nou maar, ik heb gewoon geen zin om er nog over te praten,' zegt Roosmarijn. 'Zo meteen verpest ik mijn economie ook nog. Dan heb ik de hele avond voor niks zitten leren.'

'Heel fijn dat jij het zo goed hebt geleerd,' zegt Bart. 'Je gaat toch wel een beetje schuin zitten, hè?'

'Dat mocht je willen.' Roosmarijn steekt haar tong naar Bart uit.

'Kijk maar bij mij af,' zegt Hakim. 'Ik ken het.'

'Ik ook.' Arnout wrijft trots in zijn handen.

'Hebben jullie je huiswerk gemaakt?' vraagt Bart verbaasd.

'Ja,' lacht Arnout. 'Nu kan het nog. Vanaf woensdag hebben wij daar geen tijd meer voor. Dan hebben we verkering.'

'Ja, als Dieke en Lotte eenmaal naar De Harmonie zijn geweest, dan verandert alles.' Bart schrikt. Het is duidelijk dat hij zich heeft versproken.

'Hoe weet jij dat we bij De Harmonie hebben afgesproken?' Hakim vliegt zijn vriend zowat aan.

'Dus ik heb goed gegokt? Hahaha...' Bart begint te juichen. 'Ik zei zomaar wat en het is nog waar ook. Of, eh...' Hij kijkt zijn vrienden aan. '...of nemen jullie mij in de maling?'
Nu begint Arnout te lachen. 'Je dacht echt dat je het goed had geraden, hè? Nee, mannetje, niks bij De Harmonie.'
'Jammer.' Bart is allang blij dat ze erin trappen en hij begint gauw over iets anders. 'Kunnen we Van Noord niet vragen of ze het proefwerk uitstelt?'
'Dat doet ze nooit,' zegt Halima. 'Ze heeft het twee weken geleden al opgegeven.'
'Wel als we iets verzinnen. Ze is onze klassenlerares.' Bart kijkt Roosmarijn aan. 'Weet Van Noord trouwens waar jij mee zit?'
'Hoe bedoel je: waar ik mee zit?'
'Nou, wat je ons over Bob hebt verteld. Ik vind toch dat een klassenleraar dat moet weten.'
'Dat vind ik ook,' zeggen Hakim en Arnout.
'Nu ineens zeker!' Roosmarijn is woedend. 'Alleen maar omdat jullie je economieproefwerk willen uitstellen. Nou, ik heb jullie steun niet nodig. Ik ga zelf wel een keer met haar praten.'
Bart snapt dat hij een beetje te ver is gegaan. 'Hoe is het eigenlijk met Sven afgelopen?' vraagt hij. 'Die is gisteren toch bij Hazelman geroepen?'
'Weet ik veel,' zegt Roosmarijn. Nu gaan ze ook nog over Sven beginnen. Daar heeft ze helemaal geen zin in. En ze gaat een eindje verderop bij een paar anderen staan.
'Hoe moet Roosmarijn dat nou weten?' hoort ze Halima zeggen. 'Ze hebben toch verkering?'
'Welnee,' zegt Halima. 'Dat zei ik zomaar. Jij trapt ook overal in.'
Roosmarijn wil horen wat Bart daarop te zeggen heeft, als er ineens iemand uit 3A naar haar toe komt. Roosmarijn kent haar wel. Het is Astrid van Lanen.
'Jij bent toch Roosmarijn?' vraagt ze.
Roosmarijn knikt. Ze weet al waarvoor Astrid haar moet hebben. Het gaat natuurlijk over de feestcommissie. Had ze Susan maar nooit gezegd dat ze lid wou worden.
'Ik ben Astrid. Misschien ken je me wel van de feestcommissie?'

'Ja,' zegt Roosmarijn. 'Je bent eruit gestapt, hè? Sorry, Susan ging ervan uit dat ik jouw plaats in zou nemen, dat had ik ook gezegd, maar...' Roosmarijn wil een smoes verzinnen, maar Astrid geeft zelf al antwoord.

'Je wilt niet omdat Bob van der Steen ook in de feestcommissie zit.' Roosmarijn kijkt Astrid verbaasd aan. Hoe weet zij dat?

'Je hebt aan je klas verteld wat er is gebeurd,' zegt Astrid. 'Zo'n roddel lekt zo uit natuurlijk. Dat is eigenlijk de reden dat ik even met je wou praten.'

Roosmarijn is meteen geërgerd. Ja hoor, denkt ze. Die gesprekken ken ik. En dan wil je me nu natuurlijk vertellen dat ik me echt vergis. Dat ik gerust lid van de feestcommissie kan worden. Dat je al een heel jaar met Bob hebt gewerkt en dat hij heel integer is. Aan de andere kant wil ze absoluut niet dat Astrid weet dat ze vanwege Bob niet in de feestcommissie wil. Dat is zo bekend. Ze moet er niet aan denken dat de halve school haar uitlacht. 'Het gaat niet om Bob,' zegt ze gauw. 'Dat verhaal moet je niet zo serieus nemen. Het was een vergissing.'

'Weet je het zeker?' vraagt Astrid.

'Ja,' zegt Roosmarijn. 'Het is alweer over. Eigenlijk is er niks meer aan de hand.'

'Oh.' Astrid is duidelijk teleurgesteld. 'Ik, eh... Bob viel mij namelijk wel lastig. Dat is de reden dat ik uit de feestcommissie ben gestapt.'

'Wat...?' Roosmarijns mond valt open.

'Ik dacht dat jij ook een slachtoffer was,' zegt Astrid. 'Dan hadden we er samen iets aan kunnen doen, zie je. Maar als het een vergissing is, houdt het op. Sorry.' Astrid loopt weg.

Roosmarijn kijkt haar na. Waarom heeft ze Astrid niet de waarheid verteld? Nu heeft ze iemand die haar verhaal kan bevestigen en dan laat ze haar gaan.

'Astrid!' Roosmarijn rent haar achterna, maar als ze eindelijk door de meute heen is gedrongen, zit Astrid al in haar lokaal.

'Zo,' zegt mevrouw Van Noord als ze in de les zitten. 'Ik hoop dat jullie het goed hebben geleerd.' Ze deelt de blaadjes uit.

Roosmarijn steekt haar vinger op. Haar rekenmachientje ligt nog in haar kluisje.

'Ga het maar vlug halen,' zegt mevrouw Van Noord.

Roosmarijn loopt de klas uit. Als ze haar kluisje wil openmaken, ziet ze dat Bob eraan komt. Er gaat een schok door haar heen. Zo meteen houdt hij haar nog aan. Er is niemand in de gang. In paniek schiet ze de lerarenkamer in. Ze bedenkt wel een smoes. Alles is beter dan met die engerd alleen te zijn. Maar ze hoeft geen smoes te verzinnen, want de lerarenkamer is leeg. Roosmarijn wacht tot haar leraar langsloopt. Ze hoort zijn voetstappen dichterbij komen. Haar hart begint sneller te kloppen. Loop door, denkt ze, loop door! Maar Bob loopt niet door en stapt de lerarenkamer binnen. Roosmarijn voelt de kleur uit haar gezicht wegtrekken. 'Ik, eh...' Ze wil wegrennen, maar Bob trekt de deur achter zich dicht.

'Je bent toch niet bang voor me?' Hij loopt naar Roosmarijn toe. 'Er is helemaal niks om bang voor te zijn.' Hij streelt met zijn vinger over haar neus.

Roosmarijn rilt over haar hele lichaam.

'Voel maar, er is niks om bang voor te zijn.' Bob pakt Roosmarijns hand en legt die op zijn gulp.

'Nee...' Roosmarijn probeert haar hand weg te trekken, maar Bob drukt hem er nog steviger tegenaan. Op het moment dat Roosmarijn wil gaan gillen, gaat de deur open.

'Bob, wat doe jij?' De directeur staat in de deuropening.

'Ik, eh...' Bob laat Roosmarijns hand gauw los. Roosmarijn begint te huilen.

'Ik, eh...' stamelt Bob. 'Het is niet wat het leek. Ik wou Roosmarijn alleen maar troosten.'

Meneer Hazelman, die altijd heel beheerst is, valt uit. 'Naar mijn kamer, Van der Steen. Naar mijn kamer!' Zijn stem slaat over. Het is duidelijk dat de situatie hem in de war heeft gebracht. 'Ik ben me lam geschrokken, Roosmarijn, wil je dat geloven?'

Roosmarijn zegt niks. Ze kan alleen maar huilen.

Dan komt Halima de lerarenkamer in. Ze moest Roosmarijn van mevrouw Van Noord gaan zoeken, maar zodra ze een voet over de drempel zet, voelt ze de spanning.

'Je komt als geroepen, Roosmarijn heeft je nodig.' Je kunt zien dat meneer Hazelman langzaam weer grip op de situatie krijgt. 'Er is iets vreselijks gebeurd.'

Als Halima ziet hoe Roosmarijn eraantoe is, weet ze dat er maar één persoon de oorzaak van kan zijn. 'Wat heeft die viezerik met je gedaan?' roept ze.

Meneer Hazelman legt een hand op Halima's schouder. 'Probeer rustig te blijven, meisje, daar heeft je vriendin het meest aan.'

'Roos, wat deed hij?' vraagt Halima voorzichtig.

'Nee,' snikt Roosmarijn. 'Ik... ik wil er niet over praten. Nooit meer.' Ze kijkt haar vriendin aan. 'Beloof me dat je er nooit meer over begint. Helemaal nooit meer.'

'Laat haar maar uithuilen,' zegt meneer Hazelman. 'Dat is goed. Ze is heel erg geschrokken. En ik ook. Dat zoiets op onze school kan gebeuren. Ik haal thee voor jullie. Blijven jullie hier maar even rustig zitten.' Als hij terugkomt, vraagt hij: 'Welke les hebben jullie nu?'

Roosmarijn haalt haar schouders op. Ze is veel te overstuur om dat nog te weten.

'Economie,' zegt Halima.

'Goed, ik zal tegen mevrouw Van Noord zeggen dat jullie hier zijn. Ik kom zo terug. Jullie snappen dat ik heel wat te regelen heb. Kan ik Roosmarijn even aan jou toevertrouwen, Halima?'

'Natuurlijk.' Halima neemt een slok van haar thee.

Zodra Hazelman weg is probeert ze haar vriendin op te vrolijken. 'Je hebt wel geluk, anders zat je nu je proefwerk te maken.'

'Nou, wat heb ik een geluk.' Maar Roosmarijn moet er toch ook een beetje om lachen. Als ze een paar slokken van haar thee heeft gedronken, wordt ze iets rustiger.

'Gaat het weer een beetje?' Hazelman komt de lerarenkamer binnen. Hij kijkt Roosmarijn aan. 'Het is heel vervelend voor je, maar er komt straks iemand die jou het een en ander wil vragen.'

'Oh nee, daar heb ik geen zin in.' Roosmarijn voelt meteen de paniek opkomen.

'Rustig maar,' sust meneer Hazelman. 'Ik zal je ouders bellen. Het is prettig voor je als die erbij zijn.'

'Mijn ouders zijn naar een congres,' zegt Roosmarijn. 'Die kan ik niet bereiken. Laat Astrid van Lanen het maar vertellen.'

'Astrid van Lanen?' Meneer Hazelman kijkt haar verbaasd aan. 'Wat heeft die hiermee te maken?'

'Dat moet u haar zelf maar vragen,' zegt Roosmarijn.

'Luister, Roosmarijn, als Astrid hier meer van weet, zullen ze haar ook zeker willen horen. Maar jij zult toch je eigen verhaal moeten vertellen.' Als Hazelman de paniek op Roosmarijns gezicht ziet, zegt hij gauw: 'Het hoeft niet onmiddellijk. Als jullie nou eens eerst naar buiten gaan.'

Roosmarijn knikt. Frisse lucht, daar heeft ze zin in. En ze staat op en loopt de lerarenkamer uit.

'Ik ben ineens heel misselijk,' zegt ze als ze bij de kapstok staan.

'Dat is stress, wat denk je. Je schrok je dood toen je hoorde dat er iemand met je wilde praten.'

'Hoe zou jij dat vinden?' vraagt Roosmarijn.

'Daar moet je je niet druk om maken.' Halima slaat een arm om Roosmarijn heen. 'Astrid is er toch ook bij.'

Roosmarijn haalt een paar keer diep adem als ze buiten staan. Halima kijkt haar aan. 'En hoe gaat het? Moet ik de ambulance bellen?'

Nu moet Roosmarijn lachen. 'Het gaat wel weer.'

Als ze een tijdje buiten zijn voelt ze zich al beter. Halima probeert haar af te leiden, maar ineens begint Roosmarijn zelf over het voorval te praten.

'Ik had zo'n geluk dat Hazelman binnenkwam, ik weet niet wat er anders was gebeurd.'

'Ik denk dat Hazelman daar zelf ook blij om is,' zegt Halima. 'Hij zal zich wel schuldig voelen.'

'Dat is onzin,' zegt Roosmarijn. 'Hij kan er toch niks aan doen? Zoiets weet je toch niet als je iemand aanneemt.'

'Nee, niet als je iemand aanneemt, maar gisteren wist hij het wel.'

'Ben jij naar hem toe geweest?' vraagt Roosmarijn.

Halima schudt haar hoofd. 'Hij weet het van Sven.'

'Hè?' Roosmarijn weet niet wat ze hoort. 'Van Sven?'

'Ja,' zegt Halima. 'Toen jij gisterochtend in de aula zat, heeft Sven

Bob ervan beschuldigd dat hij zijn handen niet kon thuishouden. En toen moest hij naar Hazelman.'
'Waarom weet ik dat niet?' vraagt Roosmarijn verontwaardigd.
'Nou wordt hij mooi.' Halima moet lachen. 'Wie wilde ook alweer niks meer over Sven horen? Was dat niet Roosmarijn Klarenbeek?'
'Ja, maar zoiets had ik wel willen weten,' zegt Roosmarijn. 'Waar is Sven eigenlijk?'
'Geschorst, door Hazelman. Omdat hij Bob had beledigd. Hij geloofde Sven natuurlijk niet.'
'Wat zeg je nou?' Roosmarijn blijft staan. 'Dat is dus mijn schuld.'
'Waar slaat dat nou weer op?' vraagt Halima.
'Het is zeker mijn schuld,' zegt Roosmarijn. 'Nu snap ik waarom Hazelman zo zat door te zagen. "Weet je zeker dat dit de reden is waarom je niet meer naar de les wilde?" Ik hoor het hem nog zeggen. Als ik het eerlijk had verteld, was Sven niet geschorst.'
'Maak je nou maar niet zo druk,' zegt Halima. 'Hazelman belt Sven heus wel vanmiddag. Die heeft lekker een dag vrij gehad, man.'
Maar Roosmarijn voelt zich schuldig. 'Sven is voor mij opgekomen en ik heb hem gewoon voor gek gezet. Wat moet hij niet van me denken?'
Halima ziet het probleem niet zo. 'Het is toch niet belangrijk wat die gast van je denkt?'
'Heel belangrijk,' zegt Roosmarijn. 'Ik moet het hem vertellen.'
'Nu?'
'Ja natuurlijk, dacht je dat ik nog een paar weken ga wachten?'
'Maar je moet terug naar school,' zegt Halima. 'Ze moeten toch met je praten?'
'Dan wachten ze maar even. Ik wil dit goedmaken.'
'Je bent nog steeds gek op hem, hè?' zegt Halima.
'Dat heeft hier niks mee te maken.' Maar Roosmarijn weet wel beter. Het doet haar heel goed dat Sven voor haar is opgekomen. En ze wil hem ook vertellen wat er vanochtend is gebeurd.
'Ik ga nu naar hem toe,' zegt ze. 'Als Hazelman naar me vraagt, zeg je maar dat ik bij Sven ben.'
'Weet je het zeker?' vraagt Halima.

'Heel zeker.' Roosmarijn draait zich om en loopt in de richting van de fietsenstalling.

Sven zit nog steeds op zijn kamer. Zijn rugtas staat naast hem. Hij had allang weg kunnen zijn, maar toen hij naar beneden wilde gaan, kwam zijn vader thuis. Vliegensvlug is hij zijn kamer ingeschoten. Gelukkig heeft zijn vader niks gemerkt. Sven dacht dat zijn vader alleen iets kwam halen, maar dat is niet zo. Het is nu al een halfuur geleden en hij is nog steeds thuis. Sven is al bang dat zijn vader voor cipier wil gaan spelen en thuis gaat werken. Dat zou betekenen dat hij vandaag niet meer wegkomt. Ineens hoort hij voetstappen op de trap. Daar heb je hem! Sven grijpt zijn rugtas en schuift hem onder het bed. De brief voor zijn moeder mag hij ook niet zien. Hij grist hem van zijn bureau en stopt hem onder het dekbed. Net op tijd. De deur van zijn kamer gaat open. Zijn vader steekt alleen zijn hoofd om de deur. 'Ik ga nu even weg, waag het niet naar beneden te komen. Ik heb mijn maatregelen getroffen. Ik kom er toch achter. Je gaat ook niet naar beneden voor de telefoon. Je bent gewaarschuwd.' Zonder nog iets te zeggen trekt hij de deur dicht.

Sven luistert. Na een paar minuten hoort hij de voordeur dichtslaan. Is hij echt weg? Sven vertrouwt het niet. Hij kent zijn vader. Voor de zekerheid kijkt hij door het raam. Zie je wel, het is een list. Er komt niemand naar buiten. Wat een misselijke streek. Zijn vader doet net of hij weg is en als Sven dan toch naar beneden komt, dan grijpt hij hem. Dat mocht hij willen. Nee pa, ik wacht wel tot je vertrokken bent.

Sven kijkt op zijn horloge. Erg veel haast heeft zijn vader niet. Sven houdt de auto in de gaten, maar na een kwartier staat hij er nog. Hij is al bang dat hij zijn vluchtpoging tot de nacht moet uitstellen als hij zijn vader het tuinhek ziet uitkomen. Gluiperd, denkt Sven. Je bent hem stilletjes gesmeerd. Hij heeft de deur niet eens gehoord. Hij wacht tot de auto van zijn vader de straat uit is. Dit was je allerlaatste grap, pa, denkt hij. Sven pakt zijn rugtas en rent naar beneden. Als hij zijn jas aantrekt, hoort hij de telefoon.

Dat is papa, denkt Sven. Hij belt vanuit de auto. Hij wil kijken of ik de telefoon toch oppak. Sven krijgt zin om het te doen. Zijn vader kan hem nu toch niks meer maken. Hij is vast al bijna bij zijn werk. Hij kan nog zo snel naar huis rijden om hem te straffen, maar dan is hij toch al weg. Sven kijkt naar de telefoon. Hij aarzelt. Op het moment dat hij de hoorn wil opnemen stopt het gerinkel, maar als hij bij de voordeur staat, begint het gerinkel opnieuw. Sven loopt de kamer in. In gedachten hoort hij zijn vader tekeergaan. Hij vraagt zich af wat die nu weer voor gemene dingen zal zeggen. Sven voelt dat hij daar niet meer tegen kan. Hij stapt de deur uit en trekt hem achter zich dicht.

16

Roosmarijn heeft werkelijk alles tegen. Niet alleen springen alle stoplichten op rood als ze eraan komt, maar nu gaan de spoorbomen ook nog dicht. En als ze even later de brug over moet, staat die open.

Eindelijk komt ze bij Sven aan. Ze heeft het gevoel dat ze uren onderweg is geweest. Als ze haar fiets tegen het hek zet, wordt ze ineens onzeker. Ze hoeft natuurlijk niet te verwachten dat Sven haar met open armen ontvangt. Hij is vast woedend. Dat is ook logisch, want door haar schuld is hij geschorst. Zoals Halima erover praat is natuurlijk onzin. Je kunt het niet met vakantie vergelijken. Hij is weggestuurd en dat is iets heel anders. Zo meteen mag ze niet eens binnenkomen. Daar moet ze zich wel op voorbereiden. Ze moet weten wat ze doet als hij de deur voor haar neus dichtknalt, of als zijn moeder haar binnenlaat en hij haar een paar minuten later eruit zet. In elk geval moet hij naar haar luisteren, al is hij nog zo kwaad. Dan blijft ze gewoon voor de deur staan en belt hem op. Ze heeft haar GSM bij zich.

Roosmarijn loopt door het hek. Voor de deur haalt ze diep adem en belt aan. In de gang hoort ze haastige voetstappen en nog geen tel later staat ze oog in oog met Lennart. Roosmarijn kan het bijna niet geloven. Het valt haar op dat hij zich wel heel anders gedraagt dan zaterdagavond. Niet alleen door die ongeïnteresseerde blik, maar zijn stem klinkt zelfs geïrriteerd. 'Ik heb geen tijd voor meiden, ik moet zwemmen.' Hij vraagt niet eens of ze meegaat en wil de deur al dichtdoen.

'Ik kom niet voor jou,' zegt Roosmarijn. 'Ik kom voor Sven.'

'Die is boven.' Lennart pakt zijn jas van de kapstok, vist zijn sporttas uit de gang en gaat ervandoor. Hij neemt niet eens de moeite om haar te groeten.

Roosmarijn kijkt hem verbaasd na. Zaterdagavond moest hij haar nog zo nodig zoenen. Dat was dus echt een voorstelling.

Ze loopt naar binnen. Ze voelt zich wel een beetje raar als ze de trap oploopt. Ze maakt expres lawaai in de hoop dat Sven haar hoort. Maar de deur van zijn kamer blijft dicht, ook als ze een paar keer kucht. Als ze voor Svens kamer staat, voelt ze zich toch niet erg op haar gemak. Is het niet brutaal dat ze zomaar naar boven is gelopen? Even overweegt ze om naar beneden te gaan en opnieuw aan te bellen, maar ze klopt toch aan.

Roosmarijn wacht, maar er wordt niet opengedaan. Sven heeft vast haar stem gehoord en nu doet hij net of hij er niet is. 'Sven,' roept Roosmarijn en ze klopt weer aan. Als er niet wordt opengedaan, doet ze de deur een stukje open. 'Sven, ik ben het, Roosmarijn.' Ze steekt haar hoofd voorzichtig om de deur, maar Sven is er niet.

Waarom zei Lennart dat niet meteen? Heeft ze daar al die moeite voor gedaan. Toch wil ze dat Sven weet dat ze er spijt van heeft en ze besluit een briefje voor hem achter te laten.

Roosmarijn loopt naar Svens bureau. Als ze een brief ziet liggen, denkt ze dat die voor zijn vriendin is. Als ze dichterbij komt, leest ze wat erboven staat. *Afscheidsbrief.* Zou Sven zijn verkering hebben uitgemaakt? Roosmarijn moet het weten en vouwt de brief open. Al bij de eerste regel schrikt ze. De brief is niet aan Svens vriendin gericht; hij is voor zijn moeder bestemd. Roosmarijns ogen gaan geschrokken over de bladzij. Wat heeft Sven veel doorgemaakt en daar wist zij niks van. Wat verschrikkelijk! Als ze haar eigen naam leest, raakt ze helemaal in de war. Ze leest het stukje wel drie keer over. 'En dan heeft Lennart ook nog eens Roosmarijn afgepikt. En ik ben al zo lang verliefd op haar...' Gaat dat over haar? Ineens dringt het tot Roosmarijn door wat er is gebeurd. Lennart heeft haar met opzet tegen Sven opgezet en zij is erin getrapt. En natuurlijk lag die camera niet bij Van der Ploeg. Hier staat het: 'Je hebt er niks tegen gedaan dat papa mijn camera afpakte, terwijl je wist hoe belangrijk de film voor me was...' Roosmarijn staart geschokt voor zich uit. Hoe is het mogelijk dat Svens moeder dat allemaal heeft toegelaten en ook dat Sven werd geslagen? En hij is nog niet eens kwaad op zijn moeder, dat schrijft hij ook nog. En alsof dat allemaal niet erg genoeg is, heeft zij het Sven extra moeilijk gemaakt door tegen Hazelman te liegen. Hij moet zich wel heel

131

eenzaam hebben gevoeld. Het is geen wonder dat je dan wegloopt. Weet Svens moeder eigenlijk wel dat er een brief voor haar is? Roosmarijn pakt de brief en rent de trap af. Ze doet de deur van de huiskamer open, maar daar is niemand.

'Hallo!' roept ze. 'Is daar iemand?' Maar ze krijgt geen antwoord. En dan dringt het tot Roosmarijn door dat ze helemaal alleen in een vreemd huis is. Op slag slaat de paniek toe. Ik moet weg, denkt ze. Ik moet Sven zoeken. Ze legt de brief op tafel en holt de deur uit.

De eerste uren heeft Sven een gevoel van triomf. Het is hem gelukt te ontsnappen. Hij is zo blij dat hij zijn camera heeft weten te bemachtigen, dat hij denkt dat hij de hele wereld aankan. Ik ben je te slim af geweest, pa. Elke keer als hij dat denkt verschijnt er een overmoedig lachje om zijn mond.

Sven fietst naar een plek midden in de duinen. Vandaar wil hij een plan uitstippelen. Maar hoe langer hij daar zit, hoe meer hij begint te twijfelen. Is het wel zo'n verstandige zet dat hij is weggelopen? Denkt hij nou echt dat zijn vader het erbij laat zitten? Misschien heeft die de politie al ingeschakeld en zijn ze hem aan het zoeken. Als hij niet uitkijkt, zit hij vanavond nog thuis.

Die gedachte maakt hem bang. Bij elk geluid dat hij hoort, schrikt hij. Sven vraagt zich af of hij hier wel veilig is. Als ze het Bart vragen, krijgen ze alle plekken te horen waar hij zich verstopt kan hebben. Kan hij niet beter naar het station fietsen en vandaag nog de trein nemen? Maar dat plan stelt Sven ook niet gerust. Als zijn vader hem echt als vermist heeft opgegeven is hij nergens meer veilig. Misschien heeft hij zijn signalement nu al doorgegeven. Hij kent zijn vader. Als die in zijn kop heeft gezet dat hij zijn zoon moet vinden, dan rust hij niet eerder dan dat het is gelukt. En dan kan hij het echt wel vergeten. Hij moet er niet aan denken wat hem dan allemaal te wachten staat.

Hoort hij stemmen? Sven luistert gespannen. Als hij het zeker weet, duikt hij gauw de bosjes in. Zou dat de politie zijn? Hij denkt aan de film die hij laatst zag. Daar spoorden ze ook iemand op, met honden. Sven rilt bij het idee dat er straks zo'n enge snuit door de struiken steekt. De stemmen komen dichterbij. Hij durft amper adem te halen. Nu hoort hij ook voetstappen. Sven gluurt angstig door de struiken en dan ziet hij wie er langslopen. Het zijn twee jochies van een jaar of negen.

Als ze voorbij zijn, springt Sven op en geeft woedend een trap tegen zijn rugtas. Daar duikt hij voor weg, voor een paar schoolkinderen. Alsof hij een crimineel is die is uitgebroken. Wat stelt die zogenaamde vrijheid van hem eigenlijk voor? Dat hij de rest van zijn leven op de vlucht is voor zijn vader? Dat is toch verschrikkelijk. Hij dacht dat hij alles had opgelost door weg te lopen, maar hij heeft helemaal niks opgelost. Als hij voor elke voorbijganger wegduikt, beheerst zijn vader zijn leven nog net zo erg. Zijn vader heeft alles voor hem kapotgemaakt en dat zal hij blijven doen.

Moedeloos zakt Sven op de grond neer. Zo wil hij niet verder leven, dat kan hij gewoon niet. Hij moet dit probleem oplossen, maar dat doet hij niet door weg te lopen. En als hij nou eens teruggaat en zijn vader de waarheid vertelt?

Sven lacht bitter. Hij weet wel beter. Nog voordat hij drie zinnen heeft uitgesproken, ligt hij in elkaar geslagen in een hoek van de kamer. Misschien kan hij het dit keer wel niet meer navertellen. Toch zal hij op de een of andere manier de confrontatie aan moeten gaan, maar hoe?

Sven denkt na. Hij is zo in gedachten dat hij niet eens merkt dat er iemand langsloopt. Maar hij wil zich ook niet meer verstoppen, voor niemand. Er moet een eind aan komen, definitief.

Sven weet niet hoe lang hij daar heeft gezeten op de plek in de duinen. Hij schrikt van zijn eigen gedachten. Durft hij dat? Durft hij dat echt? Sven voelt dat er geen weg meer terug is. Hij wil geen lafaard zijn. Als in trance komt hij overeind en stapt op zijn fiets. De hele weg naar het centrum ziet hij zichzelf het huis binnengaan. Hij ziet hoe hij voor zijn vader zal staan. Hij voelt hoeveel kracht er in hem zit. Een kwartier later zet hij zijn fiets neer. Zonder te aarzelen loopt hij de ijzerwinkel in.

'Kan ik iets voor je doen?' vraagt de verkoper.

'Ja.' Sven legt zijn pinpas op de toonbank. 'Ik wil een mes, een scherp mes.'

17

Op de hoek van de straat stapt Sven van zijn fiets. Zijn ouders zijn
thuis, de auto staat er. Hij voelt in zijn zak. Het mes zit er nog.
Een eindje verderop zet hij zijn fiets tegen een boom. En dan sluipt
hij vlak langs de huizen naar het hek. Voorzichtig gluurt hij de
tuin in. De gordijnen zijn dicht, dat komt goed uit. Hij moet niet
hebben dat zijn moeder hem ziet aankomen. Het is de bedoeling
dat hij zijn vader overrompelt. Sven is niet bang om tegenover zijn
vader te komen te staan. Nu hij er eenmaal van overtuigd is dat
er een eind aan moet komen, is er ook geen weg meer terug.
Als de buurman aan komt rijden, houdt Sven zijn hand op zijn
broekzak. Alsof de buurman kan zien dat hij een mes bij zich
draagt. De buurman stapt uit de auto en groet Sven vriendelijk,
net als anders. Voor hem is het waarschijnlijk een gewone avond,
net als voor de meeste mensen in de straat. Zijn vader weet ook
nog van niks. Als het goed is, zitten ze nu aan tafel.
Binnenin Sven is het heel stil. Hij voelt met zijn hele lichaam dat
er iets groots staat te gebeuren. Weer voelt hij aan het mes dat in
zijn zak zit. Hij had nooit gedacht dat het zover zou komen. Dat
hij nog eens met een steekwapen zijn eigen huis zou binnengaan.
Je hebt me ertoe gedwongen, pa, denkt hij. Ik kan niet anders.
Met een resoluut gebaar haalt Sven de sleutel uit zijn zak. Heel
zacht draait hij de deur van het slot en gluurt door een kiertje de
gang in. Dan loopt hij op zijn tenen naar de kamerdeur.
Hij had het niet beter kunnen plannen. Achter de deur klinken tafel-
geluiden. Dat heeft hij goed uitgemikt. Zonder nog een seconde te
aarzelen gooit Sven de kamerdeur open en loopt naar binnen.
Drie gezichten kijken vol verbazing naar de deur. Zijn moeder laat
zelfs haar vork vallen. Sven ziet dat zijn vader verrast is door zijn
binnenkomst maar zich meteen herstelt. Met een ruk schuift hij
zijn stoel naar achteren en springt op. 'Waar haal jij de moed vandaan om hier binnen te komen?'
Anders was Sven bang weggekropen, maar dit keer is hij niet van

plan zich door zijn vader uit het veld te laten slaan. Hij voelt zijn hart wild in zijn keel kloppen. En in plaats van terug te deinzen, doet hij uitdagend een stap naar voren.

'Het is voorbij, pa,' zegt Sven. 'Je hebt me al die jaren getreiterd, maar nu pik ik het niet meer.'

'Uit mijn ogen, jij! Ik walg van je!' schreeuwt zijn vader.

'Rustig maar,' zegt Sven. 'Ik ben alleen gekomen om voor altijd een eind aan je gesar te maken.'

'Wat zeg jij!' Een moment denkt Sven dat zijn vader hem zal aanvliegen, maar hij beheerst zich. 'Eruit jij!' schreeuwt zijn vader. Maar Sven verzet geen stap. Hij kijkt onafgebroken naar zijn vader die steeds roder wordt.

'Ik ga niet weg,' zegt Sven. 'Ik wil weten waarom je me haat!'

'Jij!' Zijn vader gaat vlak voor hem staan. 'Moet je dat nog vragen? Omdat je het grootste stuk ellende bent dat op twee benen rondloopt. Daarom. En nou uit mijn ogen of ik vermoord je.'

'Zie je wel!' schreeuwt Sven. 'Dat is wat je wilt. Je wilt me vermoorden. Je wil eigenlijk dat ik dood ben.' En hij trekt zijn mes.

Zijn moeder geeft van schrik een gil en Lennart rent de kamer uit. Sven ziet dat zijn vader lijkbleek wordt. Angstig kijkt hij naar Sven die met het mes in zijn hand voor hem staat. 'Ik wist het,' zegt hij. 'Je gaat me doodsteken.'

'Nee,' zegt Sven. 'Je vergist je. Jij gaat mij doodsteken. Je haat me toch? Alles maak je voor me kapot. Zo kan ik niet verder leven. Ga je gang.' En hij houdt het mes voor zijn vader.

Zijn vader kijkt naar het mes.

'Toe dan.' Sven houdt zijn hand met het mes open zodat zijn vader het kan pakken. Zijn vader bedenkt zich geen moment, grist het mes weg en richt het op Sven.

'Nou,' zegt Sven. 'Steek dan! Steek me dan dood!'

Sven ziet dat zijn vaders hand trilt en dat zijn greep elke seconde slapper wordt. Dan valt het mes op de grond.

Een tijdje staan ze tegenover elkaar. Vader kijkt Sven aan en begint opeens te huilen. 'Wat gebeurt hier... Wat gebeurt hier allemaal.'

Sven voelt de tranen over zijn wangen lopen. Hij raapt het mes op, draait zich om en loopt de kamer uit.

'Sven!' Als hij bij de voordeur is, komt zijn vader hem achterna. 'Blijf hier! Je mag niet weggaan.'

Sven kijkt zijn vader aan.

'Het moet afgelopen zijn,' zegt zijn vader. 'Deze ellende mag geen minuut langer meer duren.' Hij kijkt zijn vrouw aan. 'Ik ben zover.'

Sven ziet dat zijn moeder de telefoon pakt. 'Hallo ma,' hoort hij haar zeggen. 'Wil je mevrouw Simons vragen of ze komt. Ja, het gaat nu allemaal veranderen.' En dan begint zijn moeder te huilen.

Sven zit op zijn kamer. Zijn rugtas ligt nog ingepakt op zijn bed. Er gaat van alles door hem heen. Mevrouw Simons is net weg. Ze heeft lang met hen gepraat. Om de beurt liet ze hen vertellen. Eerst zijn vader en daarna zijn moeder en Lennart. Sven was de laatste. Eerst zag hij ertegenop om met een wildvreemd iemand hun problemen te bespreken, maar hij vond haar heel aardig. En hij is er ook wel iets mee opgeschoten. Hij weet nu tenminste hoe het komt dat zijn vader hem zo behandelt. Zijn vader heeft vroeger hetzelfde met zijn opa meegemaakt. Zijn opa sloeg zijn vader ook als hij niet deed wat hij wou. Zijn vader vond het heel erg en toch doet hij nu precies hetzelfde bij Sven. Dat is toch raar! Maar volgens mevrouw Simons gebeurt dat heel vaak. Er is nog veel meer om over na te denken. Hij dacht altijd dat Lennart geluk had, omdat die alles leuk vond wat zijn vader voorstelde. Maar nu hoorde hij voor het eerst dat het niet zo is. Lennart durfde alleen niet tegen zijn vader in te gaan. Lennart zei dat hij ook wel eens uit wou en gewoon plezier wou maken met zijn vrienden. Maar dat hij van zijn vader alles opzij moest zetten voor zijn zwemcarrière en dat hij dat echt niet makkelijk vond. Mevrouw Simons vroeg door en toen kwam eruit dat Lennart daardoor zo lelijk tegen Sven deed. Hij gaf toe dat hij jaloers was op Sven, omdat die wel deed waar hij zelf zin in had.

Zo had Sven het nooit bekeken. Voor het eerst heeft hij medelijden met zijn broer. Als hij dit had geweten, had hij samen met Lennart tegen zijn vader in kunnen gaan. Nu hebben ze het alleen maar moeilijker voor elkaar gemaakt. Lennart wil er alsnog met zijn broer over praten, maar eerst moet hij het zelf verwerken. Mevrouw Simons zei dat het allemaal goed kon komen als ze er met elkaar hard aan werken. Daarom heeft Sven er voorlopig voor gekozen om toch thuis te blijven. Nu hij weet hoe moeilijk het voor Lennart is, wil hij hem niet in de steek laten.

Sven pakt zijn rugtas uit. Het is wel verwarrend om ineens weer thuis te zijn. Maar één ding staat vast. Hij gaat niet meer naar school terug. Hij ziet zich al zitten in zijn eentje. Zijn vrienden zijn allemaal op hem afgeknapt. Hij kan beter ergens anders opnieuw beginnen.

Sven hangt zijn kleren terug als de bel gaat. Zou het zijn oma zijn? Hij luistert boven aan de trap. 'Dag, mevrouw,' hoort hij. 'Ik wil even weten of u al iets van Sven heeft gehoord.'

Svens hart slaat van schrik over. Hij herkent Roosmarijns stem. 'Het is goed met Sven,' zegt zijn moeder. 'Hij is weer thuis.'

'Gelukkig.' Roosmarijns stem klinkt blij.

'Je mag wel even naar hem toe,' zegt zijn moeder.

'Dat hoeft niet,' hoort hij Roosmarijn zeggen. 'Ik spreek hem wel op school. Ik heb vanmiddag een briefje op zijn bureau gelegd, dat heeft hij vast wel gelezen. Wilt u hem de groeten van mij doen?'

Voordat Sven het in de gaten heeft, is de deur alweer dicht. Heeft Roosmarijn een briefje achtergelaten? In twee stappen staat Sven naast zijn bureau. Zijn oog valt op een kort briefje. Hij leest het meteen.

Sorry dat je door mijn schuld bent geschorst, staat er. *Er is van alles gebeurd, maar dat hoor je nog wel. Liefs Roosmarijn.*

Liefs...? Als ze dat schrijft, is ze niet meer kwaad op hem. Sven leest het nog een paar keer over. Hij drukt het briefje tegen zich aan. Het idee dat Roosmarijn in zijn kamer is geweest toen hij niet thuis was... Hij vraagt zich af wat er vanochtend is gebeurd en waarom Roosmarijn niet naar Lennart vroeg. Hij moet haar spreken. Als hij opschiet, kan hij haar misschien nog inhalen.

Hij rent de trap af, pakt zijn jas en springt op zijn fiets. Zo hard als hij kan, racet hij de straat uit. Bij de hoek vliegt hij zowat uit de bocht, zo hard gaat hij.

Shit, denkt Sven als hij ziet dat de spoorbomen dicht zijn. Hij rijdt tot vlak voor de spoorbomen zodat hij als eerste weg is als ze omhooggaan. Maar als hij naast zich kijkt, gaat er een schok door hem heen. 'Roosmarijn!' zegt hij. 'Ik eh... ik wil weten wat er vandaag is gebeurd.'

Roosmarijn is verrast als ze Sven ziet. 'Vandaag ben ik erachter gekomen dat ik heel stom ben geweest.'

Sven weet niet dat Roosmarijn de brief aan zijn moeder heeft gelezen.

'Ik moet het goedmaken,' zegt Roosmarijn. 'Anders verlies ik mijn grote liefde.'

Sven heeft niet door dat het over hem gaat. 'Ben je dan verliefd?' vraagt hij.

'Ja,' zegt Roosmarijn. 'En volgens mij komt het van twee kanten.' Ze kijkt Sven aan, maar die weet niet wat hij hoort. 'Dus Lennart is ook verliefd op jou?'

'Helemaal niet,' zegt Roosmarijn. 'Dat is juist het erge. Het is de schuld van Lennart.'

Nu snapt Sven er echt niks meer van. 'Wat is zijn schuld dan?' Roosmarijn schiet in de lach. 'Sukkel, het gaat niet over Lennart. Je denkt toch niet dat ik op je broer verliefd ben. Het gaat over jou.'

'Over mij?' Sven valt zowat om. Is Roosmarijn verliefd op hem?

'Je gelooft me toch wel?' zegt ze als hij niet reageert.

Ze pakt Svens hand. 'Of wil je geen verkering meer met me omdat ik zo gemeen ben geweest?'

Roosmarijn ziet aan Svens gezicht dat hij heel blij is. Als hij haar sprakeloos blijft aankijken slaat ze een arm om zijn hals. 'Je kunt niks meer zeggen, hè?'

Sven lacht verlegen.

'Gaat zoenen nog wel?' Roosmarijn trekt Svens gezicht naar zich toe.

En of zoenen nog gaat. Ze merken niet eens dat de spoorbomen omhooggaan. Achter hen wordt getoeterd, maar zelfs dat hebben ze niet in de gaten.

18

Sven en Roosmarijn hebben gisteravond niet alleen gezoend, maar ook gepraat. Er was zoveel wat Roosmarijn nog niet duidelijk was. Toen Sven al haar vragen had beantwoord, wilde hij precies weten wat er die ochtend op school was gebeurd. Roosmarijn vertelde over het voorval in de lerarenkamer en ook over het gesprek waar ze zo tegen opzag. Gelukkig viel het mee. Dat kwam vooral doordat Astrid erbij was. In het begin voelde Roosmarijn zich schuldig omdat ze Astrid had voorgelogen, maar dat begreep Astrid wel. Roosmarijn hoorde toen ook dat Bob Astrid wel een halfjaar lastiggevallen heeft.

Sven was woedend op Bob. Hij bleef vragen of de wiskundeleraar werd gestraft, maar dat wist Roosmarijn niet. Ze had alleen gehoord dat hij naar huis was gestuurd.

De verkering is dik aan. Omdat ze vandaag geen school hadden, stond Roosmarijn vanochtend al om elf uur voor de deur. Ze namen een stuk van hun film op, want die willen ze alletwee graag afmaken. Sven zwaait Roosmarijn lachend uit. Ze moet om een uur thuis zijn. Hij hoopt voor haar dat ze het haalt. Als ze te laat is, komt het niet alleen door hem. Ze wilden elkaar geen van beiden loslaten. Morgenmiddag gaan ze samen naar het strand. Morgenmiddag pas, denkt Sven. Hij moet er zelf om lachen. Nog maar een nachtje en hij ziet haar alweer. Hij stelde nog voor vanavond samen naar de film te gaan, maar Roosmarijn had al met Halima afgesproken.

Eigenlijk komt het wel goed uit dat ze weg is. Hij moet iets anders regelen. Hij heeft nog een cd van Bart en een paar computerspelletjes. Nu de vriendschap voorbij is, wil hij ze teruggeven. Dan kan hij morgen tenminste helemaal opnieuw op het Comeniuslyceum beginnen. Als hij verstandig is, brengt hij de spullen nu terug. Dan is Bart tenminste niet thuis. Hij voetbalt vaak op woensdagmiddag.

Sven stopt alles in een plastic tas en stapt op zijn fiets.

Als hij tien minuten later voor Barts huis staat, krijgt hij een raar gevoel. Ineens dringt het tot hem door dat dit de laatste keer is. Sven kan zich bijna niet voorstellen dat de vriendschap echt over is. Ze gaan al zo lang met elkaar om. Als Barts moeder maar niks vraagt. Of zal hij de tas in de schuur zetten? Nee, dat doet hij niet, dat is laf. Sven haalt diep adem en drukt op de bel. Misschien heeft hij geluk en is er niemand thuis. In dat geval is het logisch dat hij de tas ergens achterlaat. Maar aan de voetstappen in de gang te horen is er wel iemand thuis. De deur gaat open en nog geen tel later staat hij tegenover Bart.

Hier had Sven niet op gerekend. Hij weet zo gauw niet wat hij moet zeggen. Maar Bart doet juist heel aardig als hij hem ziet. 'Kom binnen, ouwe gek. Ik wou net naar je toe gaan.' Hij slaat Sven joviaal op zijn schouder en gaat hem voor naar zijn kamer. Sven snapt er niks van. 'Ik dacht dat je kwaad was,' zegt hij als ze boven zijn.

'Je hebt er niks van begrepen,' zegt Bart. 'Sven en Bart hadden ruzie, dat klopt. Maar Annabel en Melissa niet. Die hebben vanavond een afspraakje, weet je nog?'

Sven kijkt Bart verbaasd aan. 'Ik dacht dat ik niet meer mee mocht.'

'Oh, heb je het daarover? Die ruzie ben ik alweer vergeten, man. Dat was in de oertijd toen ik nog niet wist dat jij een superheld was.'

'Ik... een superheld?' Sven begint nou echt te denken dat Bart hem in de maling neemt.

'Ja, doe maar niet zo bescheiden,' zegt Bart. 'Het was heel dapper van je hoe je Bob hebt aangepakt.'

'Daar heb je wat aan,' zegt Sven. 'Ik hoop dat de politie hem aanpakt.'

'Reken maar. Arnouts vader zit in het bestuur. In elk geval wordt hij van school getrapt.'

Sven vraagt zich af wat je daarmee opschiet. 'Dan gaat hij toch gewoon naar een andere school met zijn grijpvingers.'

'Volgens Arnouts vader komt hij niet meer voor de klas. Ze hebben het aangegeven. Nee Sven, je bent echt een held. De hele school praat over Sven Feije. Volgens mij richt Hazelman een standbeeld voor je op.'

'Dat zal wel,' lacht Sven. 'Die oen geloofde me niet eens.'
'Dat snap je toch wel?' zegt Bart. 'Wie had dit nou van Bob gedacht? Hij was hartstikke populair. Je had moeten zien hoe geschokt iedereen reageerde.'
'Jij geloofde me ook niet,' zegt Sven.
'Sorry,' zegt Bart. 'Ik had de pest in. Ik dacht dat je stiekem verkering had met Roosmarijn. En je kent de regels. Zoiets belangrijks moet je binnen vierentwintig uur aan je vriend melden. Gelukkig was het vals alarm. Je had helemaal geen verkering. Zand erover. Roosmarijn is verleden tijd.'
'Dat had je gedacht,' zegt Sven stralend. 'Roosmarijn is helemaal geen verleden tijd. We hebben gisteravond verkering gekregen.'
'Gisteravond? Hoe laat?' Bart kijkt er heel ernstig bij.
Sven lacht. 'Wat maakt dat nou uit? Ik geloof dat het acht uur was.'
Bart telt hardop. 'Dat is dus zeventien uur geleden. Keurig. Je hebt je aan de regels gehouden. Binnen vierentwintig uur heb je het aan je vriend verteld. Zie je wel dat je een brave jongen bent?' Hij kijkt Sven aan. 'Dus jij hebt iets te vieren. Ik vroeg me al af wat er in dat tasje zat.'
Sven voelt zich meteen minder op zijn gemak. 'Dat, eh... dat tasje heeft er niks mee te maken. Daar zit jouw cd in en wat computerspelletjes. Ik, eh...' Maar dan bedenkt hij dat Bart niet hoeft te weten waarom hij ze kwam terugbrengen.
'Waarom heb je die bij je?' vraagt Bart.
'Ach,' zegt Sven onverschillig. 'Die cd heb ik nou wel vaak genoeg gehoord. En die spelletjes kan ik dromen.'
'Ik zoek wel een paar nieuwe voor je uit,' zegt Bart. 'Maar niet nu. Daar is geen tijd voor. Over precies vijf uur en achttien minuten staan Annabel en Melissa voor De Harmonie. Ik heb al bedacht hoe we het gaan aanpakken.' En alsof er niks is gebeurd legt Bart zijn plan aan Sven voor.

'Wie heeft dat eigenlijk bedacht van die roos?' vraagt Sven als hij Bart om half zeven komt halen.
'Ik,' zegt Bart trots. 'Bijdehand, hè? De laatste keer dat ik met Lotte en Dieke heb gechat, waren ze bang dat de jongens Anna-

bel en Melissa niet zouden herkennen. En toen begon ik over die roos.'

'Daar hebben Arnout en Hakim dus niks over verteld,' zegt Sven.

'Ze hebben alles geheim gehouden,' zegt Bart. 'Niemand weet dat ze bij De Harmonie hebben afgesproken.'

'Vind je het gek?' vraagt Sven. 'Als ze dat niet gedaan hadden, stond de halve klas er.'

Bart kijkt op zijn horloge. 'Het is tijd. We gaan. Hier is je roos. Nee!' roept hij als Sven de bloem op zijn jack wil spelden. 'Dat ding moet aan de binnenkant, anders weten ze het meteen. We gaan ze eerst nog even lekker opfokken. We gaan de bioscoop in en...'

'Ja, en dan doen we of we ze toevallig tegenkomen,' vult Sven aan.

Bart heeft het al zo vaak verteld dat hij het programma inmiddels vanbuiten kent.

Opgewonden stappen ze op de fiets. 'We hadden onze kogelvrije vesten wel aan mogen trekken,' zegt Bart. 'Reken maar dat ze kwaad worden.'

'Risico van het vak,' lacht Sven.

Een eindje van de bioscoop zetten ze hun fiets neer. 'Zie je ze al?' vraagt Bart als ze de hal inlopen.

'Ja,' zegt Sven. 'Daar staan ze. Precies op de afgesproken plek, bij de sigarettenautomaat.'

Bart moet lachen. 'Die zijn zenuwachtig!'

Bart en Sven doen net of ze foto's in de vitrine bekijken. In de weerspiegeling van het glas zien ze dat Hakim Arnout aanstoot. Die schrikt zich wild als hij hen ziet. De jongens willen zich net achter een pilaar verstoppen als Bart en Sven zich omdraaien. 'Hé, dat is toevallig.' Ze lopen naar hun vrienden toe. 'Gaan jullie ook naar Tarzan?'

'Nee, eh...' De jongens kijken elkaar in paniek aan. 'Ga alsjeblieft weg.'

'Waarom?' vraagt Bart schijnheilig.

'We hebben een afspraakje,' zegt Hakim. 'Annabel en Melissa kunnen zo hier zijn. Hoepel op, jullie mogen het niet voor ons verpesten.'

'Dat willen we ook niet,' zegt Bart. 'Maar eh... hoe herkennen jullie die twee nou? Het is hier hartstikke druk.'

'Ze, eh... Nee, dat gaat jullie niks aan,' zegt Hakim.

'Jullie mogen het weten,' zegt Arnout. 'Maar dan moeten jullie beloven dat jullie weggaan.'

'Ze hebben een roos op,' zegt Hakim als de jongens knikken. 'En laat ons nu met rust.'

'Een roos?' Bart en Sven kijken elkaar aan.

'Wat staan jullie hier nou nog?' Hakim kijkt gehaast om zich heen.

'Ze zijn er nog niet.'

'Jawel, hoor,' zegt Bart. 'Ik zie Annabel al.'

'En ik zie Melissa,' zegt Sven.

'Waar?' De jongens kijken om zich heen.

'Tadataaaa...' Sven en Bart doen tegelijkertijd hun jack open zodat de roos zichtbaar wordt.

'Wat...?' Hakim en Arnout vallen bijna flauw. 'Nee, het is niet waar!'

'Jawel,' zegt Bart doodleuk. 'Aangenaam kennis met jullie te maken. Wij zijn Annabel en Melissa. Klopt het dat we een afspraakje met jullie hebben?'

Hakim en Arnout ontploffen zo ongeveer. 'Hebben jullie ons al die tijd in de zeik genomen? Dat pik ik niet.'

'Kom op, ze worden gevaarlijk.' Bart trekt Sven mee.

Hakim en Arnout rennen hen door de hal achterna. Iedereen kijkt hen na. Ze lopen bijna een vrouw omver die ijsjes verkoopt.

'Grijp hem!' roept Hakim als Arnout vlakbij is.

'Oké, we geven ons over,' zegt Bart voordat de portier hen eruit zet. En ze houden hun handen omhoog. 'Zeg eerlijk, is hij goed of niet?'

'Goed? Een nachtmerrie zul je bedoelen,' zegt Arnout. 'Wat moeten we nou op school zeggen? Ik zou met Melissa zoenen. Ik heb er zelfs een fototoestel voor meegenomen als bewijs.'

'Geen punt,' zegt Bart. 'Als jij met mij wilt zoenen dan kan dat.' Bart kijkt Arnout verliefd aan. 'Toe maar, dan kun je tenminste zeggen dat je Melissa hebt gezoend. Sven, neem jij een foto?'

'Gadver.' Arnout trekt een vies gezicht.

'Het is niet eerlijk,' zegt Sven. 'Want Hakim mag Annabel niet zoenen. Annabel heeft al verkering.'

'Grapje,' zegt Hakim.

'Nee echt,' zegt Sven.

'Met wie dan?'

'Met wie dacht je? Met Roosmarijn natuurlijk,' zegt Sven.

'Hij wel.' De jongens kijken hem jaloers aan.

'Wat een avond,' zegt Arnout. 'Dat komt nooit meer goed.'

'Hé, ik dacht dat jullie een afspraak hadden.' Opeens staan Halima en Roosmarijn achter het groepje jongens.

'Dat hadden ze ook,' zegt Bart. 'Met Sven en mij.'

Halima heeft het meteen door. 'Zijn jullie Annabel en Melissa?'

'Ja,' lacht Sven. 'Bijdehand, hè?'

'Ach, wat een domper voor jullie.' Halima slaat een arm om Hakim heen. 'Waarom gaan jullie niet met ons naar de film?'

'Ja,' zegt Sven. 'Jullie zouden toch met Annabel en Melissa naar de film gaan? Doe dat dan, dan kun je dat morgen vertellen.'

Hakim en Arnout kijken elkaar aan. 'Zullen we?'

'Doen,' zegt Sven.

'Ja, dat zie jij wel voor je,' zegt Hakim. 'Maar Roosmarijn komt voor straf tussen ons in zitten.'

Sven denkt dat het een grapje is. Maar als ze de zaal in mogen, gaan Hakim en Arnout elk aan een kant van Roosmarijn zitten.

'Dat is een rotstreek,' zegt Sven. 'Sta op, jullie.'

Maar de jongens blijven zitten. 'Eigen schuld.'

'Hier krijg je spijt van,' zegt Sven.

'Nee hoor, helemaal niet.' Hakim en Arnout hebben het zo druk met Sven te pesten, dat ze niet zien dat Roosmarijn over de stoel klimt.

Hakim is de eerste die iets merkt. 'Waar is ze?'

'Hier.' Roosmarijn ploft gauw naast Sven neer.

Sven slaat een arm om haar heen.

'Wel kijken, hè?' zegt Bart.

'Natuurlijk kijken we,' zegt Sven. 'Zonde van het geld.'

Maar het licht is nog niet uit of ze zoenen al.